Se Former En 1 Jour

MICROSOFT® Internet Explorer 4

Michel Pelletier

Publié par Simon & Schuster Macmillan (France)
19, rue Michel Le Comte
75003 PARIS
Tél. : 01 44 54 51 10
Mise en page : S&SM
ISBN : 2-7440-0315-8

Auteur : Michel Pelletier

Table des matières

Introduction

A l'aube du XXIe siècle, l'Internet prend une place de plus en plus importante dans le monde des entreprises, mais aussi chez les particuliers. Si, en France, l'Internet n'est pas encore très développé, toutes les prévisions indiquent que ce nouveau média est en passe de s'imposer pour de bon.

Cela, Microsoft l'a bien compris. Avec la version 4.0 de sa suite logicielle Internet Explorer, le réseau des réseaux s'intègre parfaitement dans votre PC. Tous les utilisateurs peuvent ainsi accéder simplement aux multiples composantes d'Internet.

Cet ouvrage aborde de manière progressive et didactique les diverses facettes d'Internet Explorer et de ses programmes satellites. En parcourant les douze heures de cet ouvrage, vous apprendrez à bien utiliser :

- le navigateur Internet Explorer pour surfer sur le Web et sur les sites FTP ;
- la messagerie électronique et le lecteur de nouvelles Outlook Express ;
- l'outil de téléconférence NetMeeting ;
- l'outil de création de pages Web FrontPad ;

- les nouvelles techniques incluses dans la suite Internet Explorer 4.0 : bureau actif, refonte du Poste de travail et de l'Explorateur de fichiers, nouvelle barre des tâches, etc.

Vous découvrirez aussi une sélection de sites Web et FTP pour partir du bon pied sur le Net.

Ces rubriques vous apportent un supplément d'informations sur un sujet traité.

Vous trouverez à côté de cette icône des astuces diverses : raccourci clavier, technique réservée aux experts, etc.

Lorsqu'un nouveau terme apparaît, il est expliqué dans cette rubrique.

Heure 1

Une rapide initiation à l'Internet et au Web

Au sommaire de cette heure

- Qu'est-ce que l'Internet
- Qu'est-ce que le World Wide Web
- Les autres composantes de l'Internet
- Comment se connecter à Internet Explorer 4.0
- Comment choisir un "bon" fournisseur d'accès
- Combien ça coûte

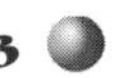

Si vous lisez ces lignes, c'est que vous avez décidé d'utiliser le navigateur qui a toutes les chances de devenir le numéro un mondial dans les prochaines années : Microsoft Internet Explorer 4.0. Mais avant de brancher votre modem, il serait bon que vous ayez un aperçu de ce que vous pourrez faire une fois connecté au réseau des réseaux. C'est pourquoi cette première heure s'intéresse à l'aspect général de l'Internet et aux divers services accessibles depuis Internet Explorer 4.0.

Qu'est-ce que l'Internet ?

Si vous lisez la presse spécialisée, vous n'êtes pas sans savoir qu'Internet est le plus grand réseau informatique du monde. Mais au fait, qu'est-ce qu'un réseau ? La plupart d'entre vous en ont une idée assez précise. Pour les autres, un réseau d'ordinateurs désigne un ensemble d'ordinateurs reliés entre eux avec des câbles appropriés, de façon qu'ils puissent échanger des données et partager des périphériques. Les réseaux sont souvent utilisés au sein des entreprises. Plusieurs personnes travaillant sur un même projet peuvent ainsi échanger des informations, travailler sur les mêmes fichiers et utiliser des périphériques communs. Ainsi, il n'est pas rare qu'une même imprimante soit partagée par plusieurs ordinateurs. On la qualifie alors d'imprimante réseau (voir Figure 1.1).

Internet relie près de 6 millions d'ordinateurs totalement hétérogènes. Ces ordinateurs communiquent entre eux grâce à un même protocole d'échange : TCP/IP.

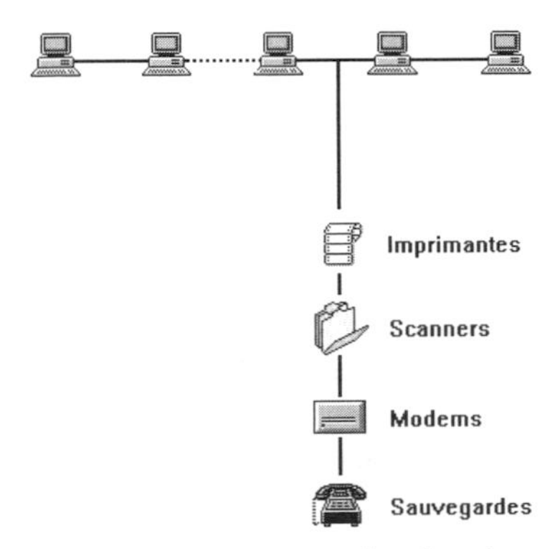

Figure 1.1 : Un réseau local typique.

TCP fractionne les données en plusieurs "paquets" indépendants et les rassemble en vérifiant leur intégrité. IP est responsable de l'acheminement des paquets.

Un protocole de communication est un ensemble de règles auxquelles se conforment deux périphériques informatiques (au sens général du terme : ordinateurs, imprimantes, modems, etc.) qui veulent échanger des informations.

Si aujourd'hui, le nombre des utilisateurs d'Internet (aussi appelés internautes) est estimé à 40 millions, il devrait atteindre 300 millions en l'an 2000 et près de 1 milliard en l'an 2010 !

Pourquoi cette formidable expansion ? Tout simplement parce que l'Internet permet de rechercher et d'échanger tout type d'informations numérisables (textes, images, sons, vidéos et autres fichiers binaires) de façon quasi instantanée et pour un coût négligeable. Que vous vous intéressiez à la musique, à l'actualité mondiale, aux défilés de mode, à la météo ou à la pêche à la ligne, vous trouverez toujours des informations récentes sur ces sujets et des interlocuteurs pour en parler à toute heure du jour et de la nuit.

Dans cette première heure, vous allez découvrir les principales facettes d'Internet :

- émission/réception de courrier électronique ;
- accès aux sites Web ;
- échange d'idées sur les sujets qui vous intéressent à l'aide des groupes de nouvelles ;
- utilisation d'outils de recherche pour accéder rapidement aux informations et aux sites qui vous intéressent ;
- téléchargement de fichiers du domaine public et de sharewares.

Qu'est-ce que le World Wide Web ?

Le World Wide Web (Web ou WWW pour les intimes) est certainement la partie la plus exaltante d'Internet. Vaste "toile d'araignée mondiale", le Web consiste en un grand nombre de documents hypertexte et hypermédias.

Vous vous demandez peut-être ce qu'est un document hypertexte/hypermédia. Considérez la Figure 1.2.

Le document reproduit contient :

- des images ;
- du texte explicatif ;
- des liens hypertexte.

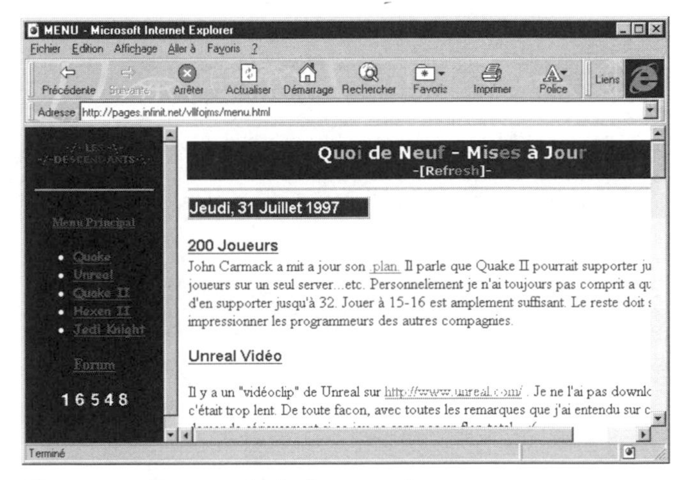

Figure 1.2 : Un exemple de document hypertexte.

Ces derniers apparaissent toujours soulignés. Lorsque vous déplacez le pointeur vers un lien hypertexte, il se transforme en une main fermée, index pointé (voir Figure 1.3). Cela signifie que vous pouvez cliquer sur le lien hypertexte pointé pour afficher la page Web correspondante.

Un lien hypertexte est un élément de texte (généralement souligné dans une page Web) sur lequel il est possible de cliquer pour accéder à une autre page Web. Il est parfois difficile de déterminer d'un simple coup d'œil si les éléments sont ou ne sont pas des liens (certaines images peuvent en effet contenir plusieurs dizaines de liens). Pour faciliter la visualisation des "éléments cliquables", vous pouvez utiliser la touche Tab du clavier. Lorsque vous appuyez sur cette touche, un petit cadre est alors dessiné

autour du premier lien de la page. Appuyez de nouveau sur la touche Tab pour passer aux liens suivants.

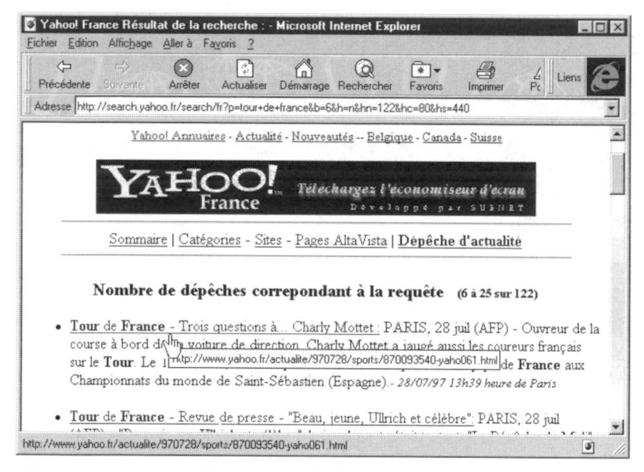

Figure 1.3 : Transformation du pointeur au-dessus d'un lien hypertexte.

Après un clic sur le lien pointé, une nouvelle page Web contenant des images, du texte explicatif et de nouveaux liens hypertexte est affichée (voir Figure 1.4).

Ce premier exemple de page Web est très simple. Il ne contient que les éléments de base du Web, à savoir du texte et des images. Certaines pages plus évoluées comportent des images, des sons, des animations et/ou des éléments vidéo sur lesquels l'utilisateur peut cliquer. Cela provoque l'agrandissement de l'image, l'émission du son ou encore l'activation de l'animation ou de la vidéo. Ces liens sont qualifiés d'hypermédias (voir Figure 1.5).

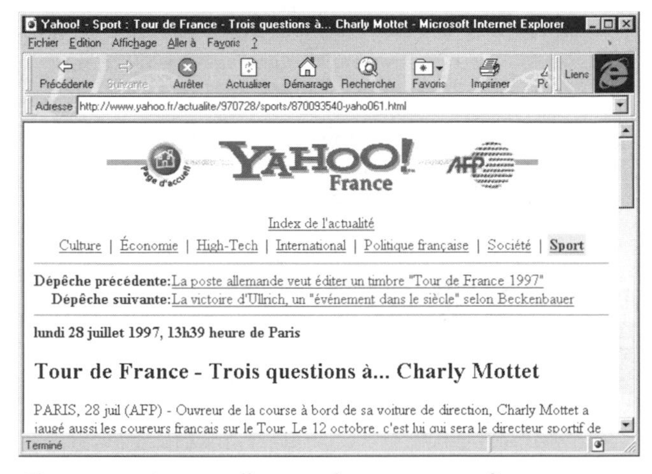

Figure 1.4 : La nouvelle page obtenue par un clic sur le lien hypertexte.

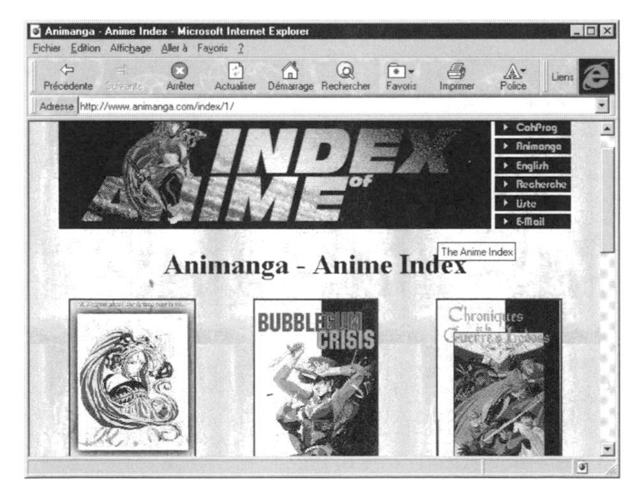

Figure 1.5 : Une page Web contenant plusieurs liens hypermédias.

Un lien hypermédia est une image fixe, un texte relatif à un son, une image fixe relative à une animation ou une vidéo sur laquelle il est possible de cliquer. Dans le premier cas, l'image sera agrandie. Dans le deuxième cas, le son sera joué. Dans les troisième et quatrième cas, l'animation ou la vidéo sera jouée.

Les autres composantes de l'Internet

S'il est vrai que le Web est une des facettes les plus alléchantes de l'Internet, ce n'est pas la seule. Savez-vous, par exemple, que le courrier électronique est le service Internet le plus utilisé ? A priori, envoyer et recevoir des courriers électroniques n'a rien de bien passionnant. Et pourtant, tous les jours, des millions de personnes échangent des messages texte ou des fichiers par l'intermédiaire de la messagerie électronique, depuis les élèves d'une classe du primaire qui se donnent rendez-vous pour un goûter jusqu'au patron d'une entreprise multinationale qui envoie des informations à ses commerciaux en déplacement à l'étranger...

Le courrier électronique

La suite Internet Explorer 4.0 est fournie avec un module de messagerie très complet : Microsoft Outlook Express (voir Figure 1.6).

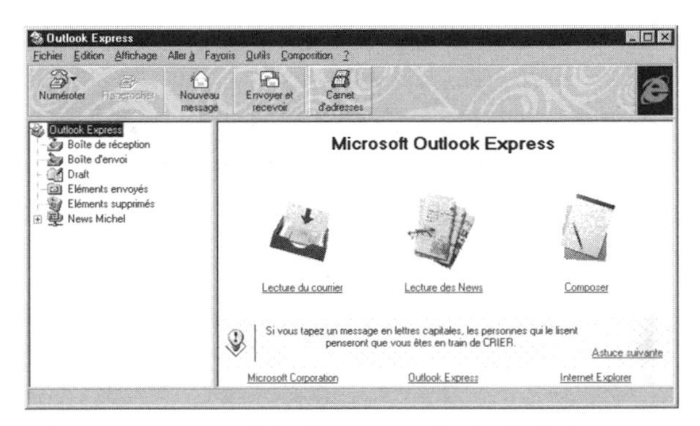

Figure 1.6 : Le module de messagerie Outlook Express.

Cet outil fonctionne de façon similaire à l'Explorateur de fichiers de Windows 95. Trois onglets composent la fenêtre d'Outlook Express. A gauche, plusieurs icônes :

- les messages reçus : Boîte de réception ;
- les messages à envoyer : Boîte d'envoi ;
- les messages envoyés ;
- les messages supprimés.

Il suffit de cliquer sur l'une de ces icônes pour afficher la liste des messages correspondants dans le volet supérieur droit. Pour visualiser un message affiché dans ce volet, il suffit de double-cliquer dessus (voir Figure 1.7).

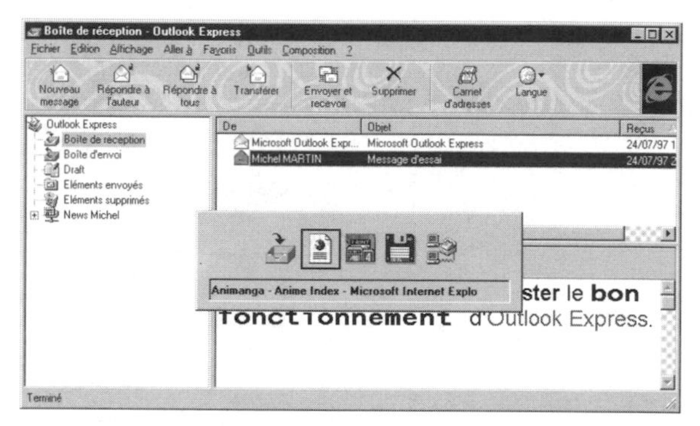

Figure 1.7 : Un exemple de visualisation d'un message reçu.

Pour avoir de plus amples renseignements sur le courrier électronique, voir Heure 6.

Les groupes de nouvelles

Les groupes de nouvelles (aussi appelés forums de discussion ou NewsGroups) sont des lieux d'échange thématiques. Quel que soit le sujet qui vous intéresse (depuis la pêche à la ligne jusqu'à l'utilisation avancée du langage Java, en passant par l'élevage des chats persans), il y a fort à parier qu'un ou plusieurs groupes de nouvelles y sont consacrés. En vous abonnant à un groupe de nouvelles particulier, vous pouvez visualiser les messages échangés par ses participants (les autres abonnés), répondre à des questions et même poser vos propres questions.

Le module Outlook Express de la suite Internet Explorer 4.0 permet aussi de naviguer dans les groupes de nouvelles (voir Figure 1.8).

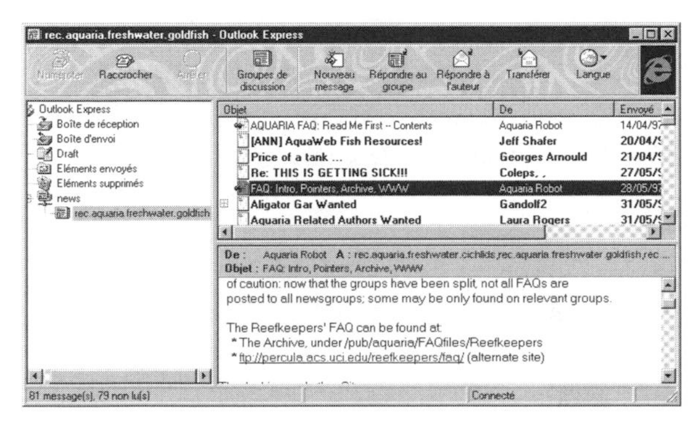

Figure 1.8 : Un exemple d'utilisation d'Outlook Express pour visiter un groupe de nouvelles.

Pour avoir de plus amples renseignements sur les groupes de nouvelles, voir Heure 8.

Les sites FTP

Internet est une vaste bibliothèque électronique qui contient des pages Web et des fichiers de toutes sortes : des documents texte, des images, des sons, des vidéos, etc. En fait, tout les types de documents numérisables peuvent être placés sur l'Internet.

Certains sites donnent accès à un ou plusieurs fichiers téléchargeables. Il peut s'agir de sites Web ou de sites spécialisés FTP (*File Transfer Protocol*). Dans le premier cas, il suffit de cliquer sur le lien hypertexte correspondant au fichier pour le télécharger. Dans le second cas, les fichiers disponibles apparaissent sous la forme d'une liste hiérarchisée de liens hypertexte, un peu comme l'arborescence d'un disque dur dans l'Explorateur Windows 95 (voir Figure 1.9).

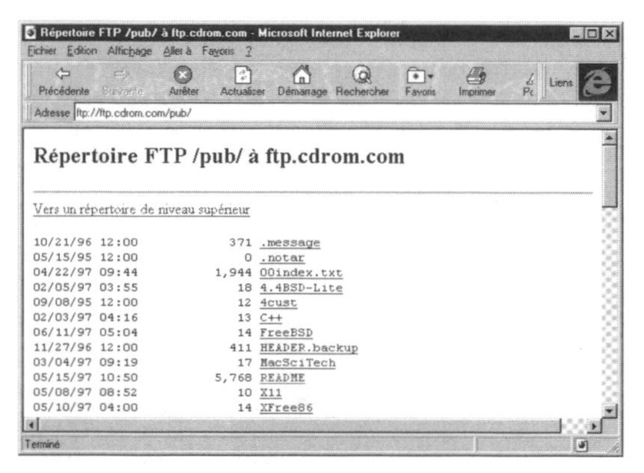

Figure 1.9 : Visualisation de l'arborescence d'un site FTP dans Internet Explorer 4.0.

Le téléchargement d'un fichier correspond au rapatriement de celui-ci depuis le site FTP vers la machine de l'utilisateur.

Pour télécharger un fichier, il suffit de cliquer sur le lien hypertexte correspondant (voir Figure 1.10).

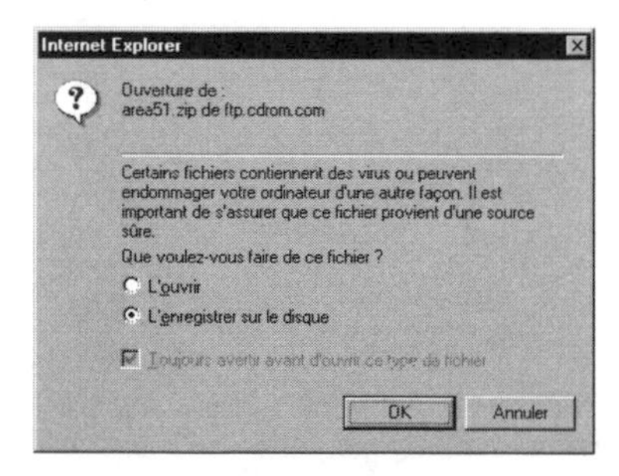

Figure 1.10 : Téléchargement d'un fichier depuis un site FTP.

Pour avoir de plus amples renseignements sur les sites FTP, voir Heure 7.

Les sites de recherche Web

Comme nous l'avons vu, l'Internet donne accès à de très nombreuses données. Si nombreuses qu'il est facile de se perdre dans les méandres des pages Web ou, en tout cas, de passer de nombreuses heures à rechercher les informations dont vous avez besoin !

Heureusement, il existe des sites Web dédiés à la recherche d'informations. Cette recherche peut concerner le titre ou le contenu des pages Web, les groupes de nouvelles, les sites FTP et bien d'autres choses encore. Comme le montre la Figure 1.11, il est très simple de trouver des sites en rapport avec un fichier donné.

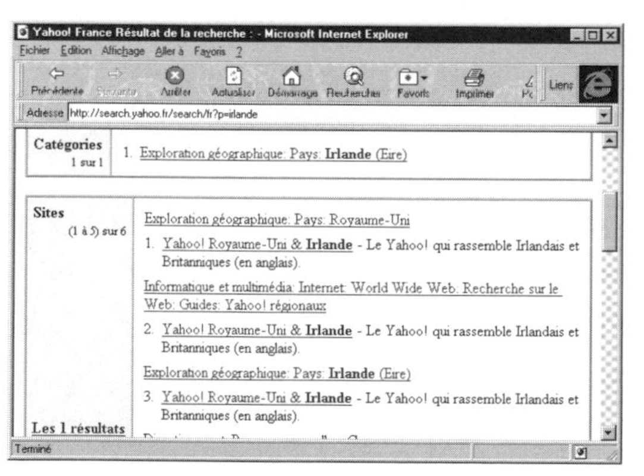

Figure 1.11 : Recherche de sites en rapport avec l'Irlande par l'intermédiaire du serveur Yahoo.fr.

Du choix du site de recherche et de son paramétrage dépend la précision des informations renvoyées. Pour savoir quels sites de recherche utiliser et comment les utiliser, voir Heure 4.

Les sites de recherche FTP

Comme nous venons de le voir, il existe plusieurs sites spécialisés dans le recherche d'informations sur le Web. Imaginez maintenant que vous voulez télécharger la dernière version d'un shareware dont vous avez lu la description dans votre revue informatique préférée. Ce shareware se trouve certainement sur l'Internet, mais où ?

Les sharewares sont des logiciels libres d'essai. Souvent limités, ils permettent cependant de se faire une idée assez précise sur la qualité d'un logiciel et sur son intérêt avant de l'acheter. Si vous utilisez régulièrement un shareware, vous avez le devoir moral de vous enregistrer auprès de son auteur, c'est-à-dire de payer le prix qu'il a fixé pour obtenir la version complète du logiciel.

Si la revue n'a mentionné aucune adresse Internet, le plus simple consiste à faire appel à un site de recherche spécialisé FTP, par exemple, FTPSearch. Entrez le nom complet du fichier recherché et validez. Quelques secondes plus tard, vous obtenez la liste de plusieurs dizaines de sites FTP où vous pouvez télécharger le fichier (voir Figure 1.12).

Choisissez si possible un site français pour limiter les intermédiaires et donc accélérer le téléchargement. Ensuite,

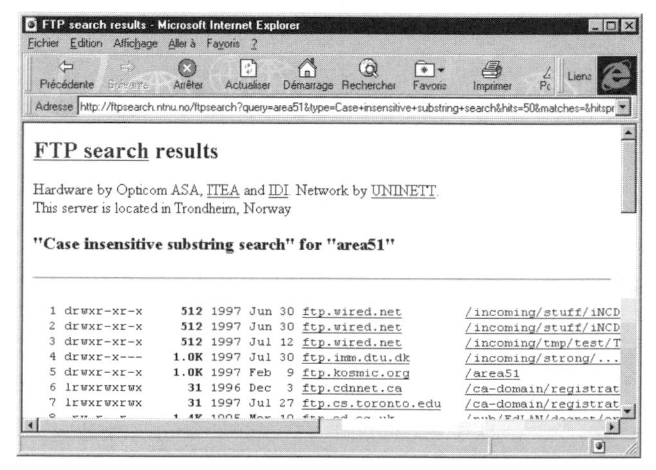

Figure 1.12 : Recherche d'un fichier à l'aide du site FTPSearch.

quelques clics de souris suffisent pour déclencher le téléchargement.

Les serveurs Gopher

Les serveurs Gopher existent depuis fort longtemps : avant l'avènement du Web, Gopher était le seul outil de recherche accessible au commun des mortels.

Dans le langage Internet, un serveur est un ordinateur qui fournit des données aux utilisateurs qui le contactent. Ces derniers sont appelés clients. Les serveurs de données sont de plusieurs types. A titre d'exemple, un serveur Web est un ordinateur qui fournit des documents Web. Ou encore, un serveur FTP est un ordinateur qui donne accès à une bibliothèque de fichiers téléchargeables.

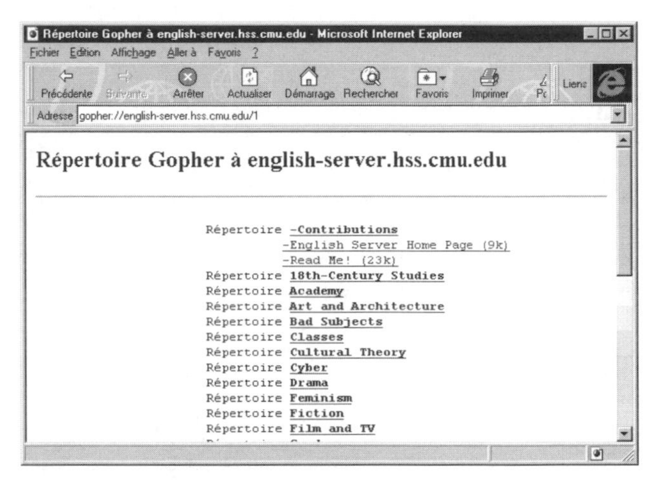

Figure 1.13 : Accès à un serveur Gopher.

> *Les termes serveur et client seront couramment utilisés dans la suite de l'ouvrage.*

Les serveurs Gopher donnent accès à des systèmes de menus hiérarchiques qui permettent de trouver les informations les plus diverses. Même si les sites Gopher sont aujourd'hui quelque peu délaissés, ils peuvent encore rendre des services appréciables. De plus, ces sites sont accessibles à travers Internet Explorer (voir Figure 1.13).

Pour vous faire une idée sur l'opportunité des sites Gopher, consultez par exemple la liste de Yanoff à l'adresse **gopher://gopher.well.sf.ca.us/11/outbound/Yanoff** (voir Figure 1.14).

Vous pouvez aussi passer par le site de recherche Yahoo pour avoir une longue liste de sites Gopher. Entrez simplement le mot Gopher dans la zone de texte et appuyez sur Search (voir Figure 1.15).

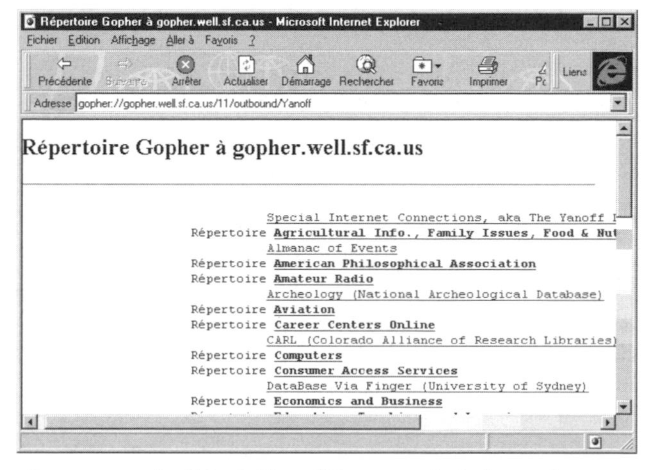

Figure 1.14 : La liste de Yanoff donne accès à de nombreux sites Gopher.

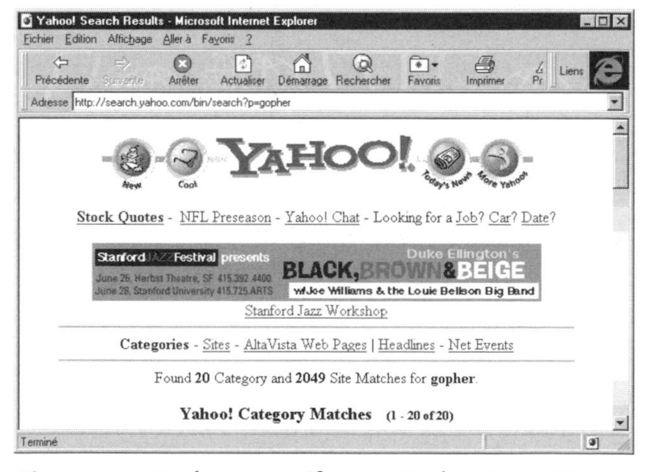

Figure 1.15 : Quelque 2049 références Gopher répertoriées par Yahoo.

Les serveurs WAIS

Les serveurs WAIS permettent d'interroger des bases de données textuelles gigantesques pour retrouver des fichiers de toutes sortes : des documents texte, des sons, des images, des séquences vidéo, des groupes de nouvelles, etc.

Après vous être connecté à un serveur WAIS, entrez un mot clé et validez. Quelques instants plus tard, une liste de documents contenant le mot clé est affichée. Vous pouvez affiner la recherche ou cliquer sur un des liens hypertexte pour rapatrier le document correspondant.

Pour en savoir un peu plus sur les serveurs WAIS, consultez la liste Yahoo à l'adresse **http://www.yahoo.com/Computers_and_Internet/Internet/Searching_the_Net/WAIS/** (voir Figure 1.16).

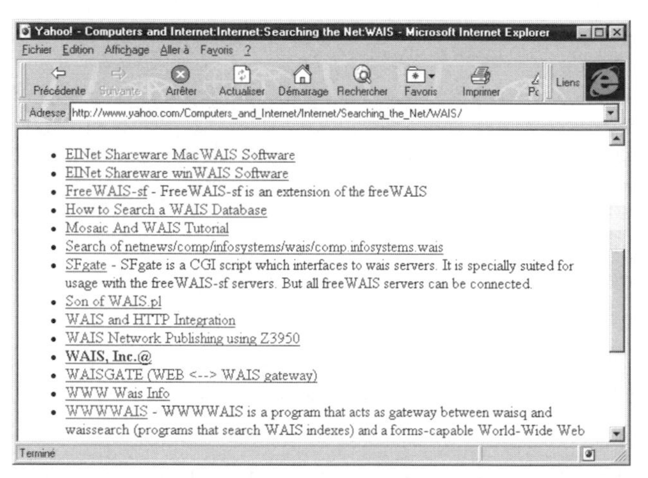

Figure 1.16 : La liste Yahoo en rapport avec les serveurs WAIS.

Comment se connecter avec Internet Explorer 4.0 ?

Pour vous connecter à l'Internet, vous devez :

- **Souscrire un abonnement** auprès d'un fournisseur d'accès. Avant de faire cette démarche, essayez d'obtenir un kit de connexion gratuite pour vous faire une idée du "rapport qualité/prix" du fournisseur d'accès qui semble être le plus intéressant. En d'autres termes, pour évaluer le prix de l'abonnement par rapport aux services offerts et à la vitesse d'accès réelle.

- **Installer la couche TCP/IP** sur votre système d'installation afin que les applications qui désirent entrer en contact avec les ordinateurs connectés sur le Net puissent le faire.

- **Installer et paramétrer** la suite logicielle Microsoft Internet Explorer 4.0.

Le premier point sera discuté dans la prochaine section de cette heure. Vous vous reporterez à l'Heure 2 pour avoir des précisions sur le deuxième et le troisième point.

Comment choisir un "bon" fournisseur d'accès

Cette question comporte plusieurs réponses. En fait, il serait plus prudent de la reformuler en "Comment choisir un fournisseur d'accès qui réponde à mes attentes ?".

Pour vous faire une première idée, vous pouvez-vous connecter au site Yahoo.fr. Saisissez l'adresse **http://**

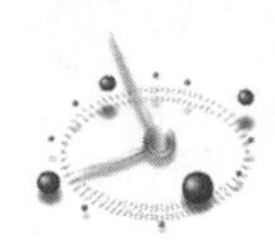

www.yahoo.fr dans la zone de texte Adresse et appuyez sur la touche Entrée du clavier. Quelques instants plus tard, la fenêtre du navigateur doit ressembler à celle de la Figure 1.17.

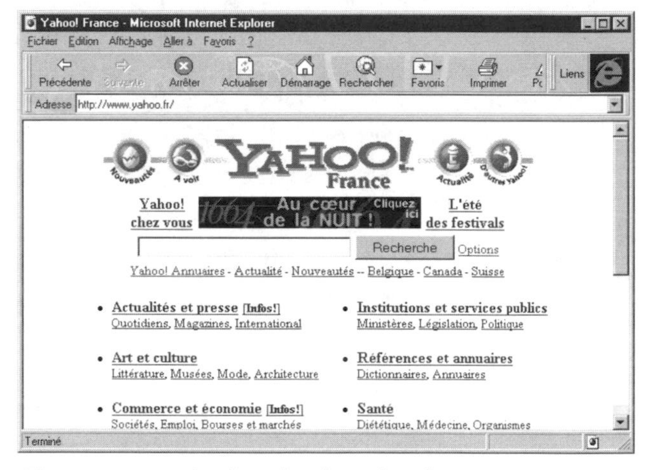

Figure 1.17 : Le site de recherche Yahoo.fr.

Une fois connecté au site Yahoo France, entrez le texte "fournisseurs d'accès" dans la zone de texte et appuyez sur Recherche. Cinq catégories sont sélectionnées par Yahoo.fr. Cliquez sur la première (Commerce et économie : Sociétés : Services Internet : Fournisseurs d'accès) : une liste non exhaustive, mais assez complète de fournisseurs d'accès français s'affiche (voir Figure 1.18).

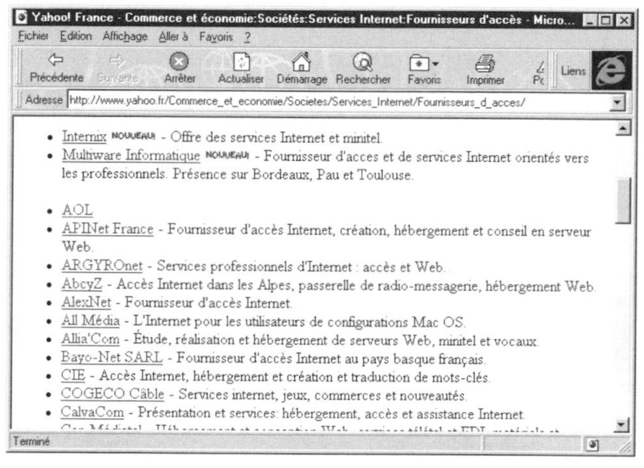

Figure 1.18 : Une liste de fournisseurs d'accès français.

Si vous n'avez pas peur des erreurs de frappe, il est possible d'entrer une adresse plus complète pour accéder directement à la liste des fournisseurs d'accès : **http://www.yahoo.fr/Commerce_et_economie/Societes/Services_Internet/Fournisseurs_d_acces/**.

Il suffit maintenant de cliquer sur un des liens correspondant aux fournisseurs d'accès pour afficher la page principale de leur site. Vous vous ferez ainsi une première idée des services offerts par chaque fournisseur d'accès.

Le prix de l'abonnement de base ne doit pas être le seul paramètre à prendre en compte. La vitesse maximale de connexion ainsi que la bande passante (en d'autres termes la vitesse réelle d'accès) du fournisseur d'accès sont

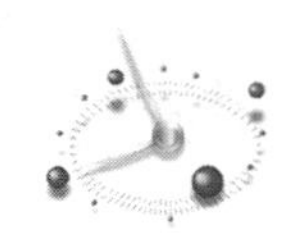

aussi très importantes. Si vous possédez un modem dernier cri de type X2 ou compatible avec une autre norme 56000 bps, le fournisseur d'accès est-il en mesure de gérer cette norme ? A quoi sert de souscrire un abonnement de faible coût si c'est pour pester devant la lenteur de l'acheminement des données. Pour vous faire une idée raisonnable sur ce paramètre, il n'y a qu'une seule méthode : vous devez tester le fournisseur d'accès en vous connectant à l'Internet par son intermédiaire. La plupart d'entre eux sont en mesure de vous proposer gratuitement, ou à faible coût, un kit de connexion qui permettra d'effectuer des tests pendant une durée comprise entre une semaine et un mois.

Après avoir pratiqué quelque peu le Web, vous désirerez certainement créer votre propre site. Ce paramètre doit aussi être pris en compte lors du choix d'un fournisseur d'accès. Certains d'entre eux permettent en effet de stocker gratuitement dans leurs unités de masse les informations propres à votre site. D'autres facturent ce service...

Une dernière chose à ne pas négliger : le support technique. Certains fournisseurs d'accès ont une fort mauvaise réputation (à juste titre dans certains cas). Les revues spécialisées publient tous les mois des lettres de lecteurs qui dénoncent le peu de professionnalisme, le manque de respect ou l'attente interminable (et facturée !) sur la hotline de tel ou tel fournisseur d'accès. Au moindre problème, n'hésitez pas à changer de fournisseur d'accès ! La concurrence est rude. Après tout, le client est roi, n'est-ce pas ?

COMBIEN ÇA COÛTE ?

Le coût réel d'Internet est fonction :

- du prix de l'abonnement chez le fournisseur d'accès ;
- du nombre d'heures de connexion mensuelles ;
- de la distance entre le lieu d'appel et le fournisseur d'accès.

Les exemples du tableau suivant supposent que l'utilisateur et le fournisseur d'accès se trouvent dans la même zone téléphonique :

Temps de connexion	Plein tarif	50 % de réduction	65 % de réduction
3 heures par mois	44,50 F	22,25 F	15,55 F
15 heures par mois	222,50 F	111,25 F	77,85 F
1 heure 30 par jour	667,50 F	333,75 F	233,60

Les colonnes "50 % de réduction" et "65 % de réduction" correspondent aux plages horaires où France Télécom pratique un tarif réduit. Courant octobre 1997, la zone à 65 % de réduction devrait disparaître et la zone à 50 % de réduction être étendue dans le temps.

A ces chiffres, il faut ajouter le prix de l'abonnement chez le fournisseur d'accès. Comptez en moyenne 100 F par mois. La fourchette de prix est donc assez vaste. Elle s'étale de 115 F si vous vous contentez de 3 heures de connexion mensuelles à 65 % de réduction à plus de 700 F si vous passez 1 heure et demie par jour en plein tarif !

Heure 2

Installer MSIE4

Au sommaire de cette heure

- Installation de TCP/IP dans Windows 95
- Sur quelle machine installer Internet Explorer 4.0
- Où se procurer la suite Internet Explorer 4.0
- Les deux types d'installation
- Désinstaller la suite Internet Explorer
- Une installation après l'installation

Après la lecture de la première heure, vous avez une vue globale des services que pourra vous apporter l'Internet. Vous allez maintenant passer à la pratique en installant le matériel et les logiciels nécessaires à l'utilisation de la suite Internet Explorer 4.0.

Allez, un peu de courage, les choses sérieuses vont maintenant commencer !

INSTALLATION DE TCP/IP DANS WINDOWS 95

Si vous ne vous êtes encore jamais connecté sur l'Internet avec votre machine, il y a de grandes chances pour que la couche logicielle TCP/IP ne soit pas installée. Cette dernière assure le transfert des données entre votre ordinateur et l'Internet. Il est donc capital que les fichiers correspondants se trouvent sur votre disque dur. Avant de passer à la pratique, assurez-vous que vous êtes en possession des informations suivantes :

- Le **numéro de téléphone** du fournisseur d'accès.
- Votre **nom d'utilisateur**. Ce nom est utilisé par le fournisseur d'accès pour repérer vos connexions et éventuellement les facturer si vous n'avez pas opté pour un service connexion illimitée.
- Votre **mot de passe**. Ce dernier évite qu'une autre personne se connecte sous votre nom et puisse accéder aux informations qui vous sont propres, par exemple, votre boîte à lettres.
- Votre **adresse électronique**.
- L'**adresse IP** de l'ordinateur du fournisseur d'accès.
- L'**adresse** de l'ordinateur dédiée à la gestion du courrier électronique.
- L'**adresse** de l'ordinateur dédiée aux groupes de nouvelles.

Vous pouvez maintenant procéder à l'installation de la couche TCP/IP. Dans Windows 95, TCP/IP est géré par la Windows Socket Library (ou Winsock). Par défaut, Windows 95 installe deux versions du fichier WINSOCK.DLL :

- Une version 16 bits destinée aux programmes 16 bits. Le fichier WINSOCK.DLL est placé dans le dossier Windows.
- Une version 32 bits destinée aux programmes 32 bits. Le fichier WSOCK32.DLL est stocké dans le dossier Windows\System.

Voici la démarche permettant d'installer TCP/IP sur votre ordinateur.

Dans un premier temps, vous devez définir une carte d'accès distant Microsoft et lui associer le protocole TCP/IP.

1. Cliquez sur Démarrer et choisissez Paramètres, Panneau de configuration.
2. Double-cliquez sur l'icône Réseau. Sous l'icône Configuration, cliquez sur Ajouter, sélectionnez Protocole, puis appuyez sur Ajouter.
3. Dans la boîte de dialogue Sélection de : Protocole réseau, cliquez sur Microsoft et sur TCP/IP, puis appuyez sur OK (voir Figure 2.1).
4. De retour dans la boîte de dialogue Réseau, appuyez sur OK pour installer TCP/IP. Lorsque l'installation est terminée, vous devez relancer votre ordinateur. Assurez-vous que la carte de connexion à distance utilise le protocole TCP/IP.

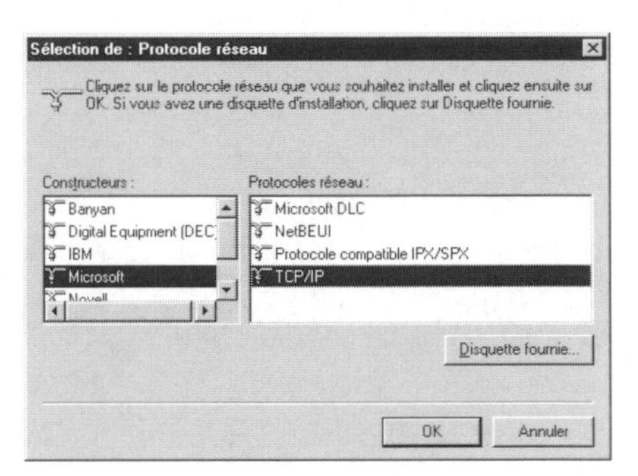

Figure 2.1 : Installation de TCP/IP.

5. Double-cliquez sur l'icône Réseau dans le Panneau de configuration. Sous l'onglet Configuration, sélectionnez Carte d'accès distant et appuyez sur Propriétés.

6. Sélectionnez l'onglet Liens de la boîte de dialogue Propriétés Carte d'accès distant et cochez si nécessaire la case TCP/IP (voir Figure 2.2).

7. La dernière étape consiste à configurer TCP/IP. Sélectionnez l'entrée TCP/IP -> Carte d'accès distant dans la boîte de dialogue Réseau et appuyez sur Propriétés. Une boîte de dialogue comportant six volets est affichée (voir Figure 2.3).

8. Cette boîte de dialogue doit être remplie en accord avec les informations communiquées par votre fournisseur d'accès. Vous définirez en particulier :
   - l'adresse IP ;
   - la configuration WINS ;
   - la passerelle ;
   - la configuration DNS.

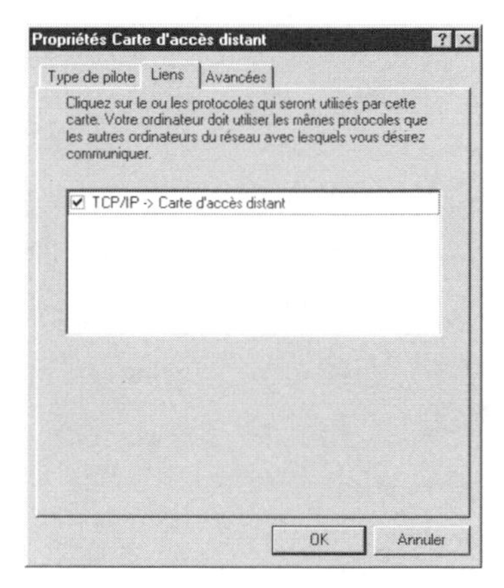

Figure 2.2 : La carte de connexion à distance utilise le protocole TCP/IP.

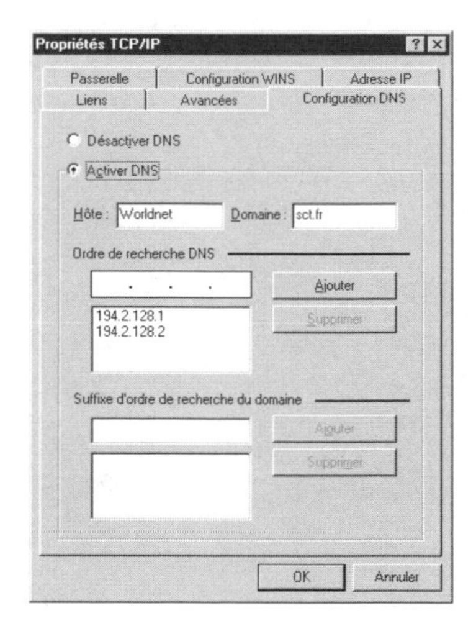

Figure 2.3 : La boîte de dialogue Propriétés TCP/IP.

Dans un deuxième temps, vous devez installer l'accès réseau à distance fourni avec Windows 95. Voici comment procéder :

1. Ouvrez le Poste de travail en double-cliquant sur son icône. Si l'icône Accès réseau à distance est affichée dans le Poste de travail, passez directement à l'étape 6.

2. Appuyez sur Démarrer. Sélectionnez Paramètres puis Panneau de configuration.

3. Double-cliquez sur l'icône Ajout/Suppression de programmes.

4. Sous l'onglet Installation de Windows, sélectionnez Communications puis appuyez sur Détails.

5. Cochez la case Accès réseau à distance puis validez en appuyant sur OK. Après quelques instants, l'icône Accès réseau à distance est accessible dans le Poste de travail.

6. Vous devez créer une nouvelle connexion avec votre fournisseur d'accès. Double-cliquez sur l'icône Accès réseau à distance dans le Poste de travail, puis sur l'icône Nouvelle connexion. Suivez les étapes de l'assistant pour définir la nouvelle connexion.

7. Vous devez maintenant paramétrer la nouvelle connexion. Faites un clic droit sur son icône et sélectionnez Propriétés.

8. Appuyez sur Type de serveur et configurez la boîte de dialogue comme indiqué par votre fournisseur d'accès.

9. Appuyez sur Paramètres TCP/IP et remplissez la boîte de dialogue comme indiqué par votre fournisseur d'accès. Validez. Il ne vous reste plus qu'à faire glisser l'icône Accès réseau à distance sur le bureau de Windows pour plus de commodité.

Sur quelle machine installer la suite Internet Explorer 4.0 ?

Pour installer la suite Internet Explorer 4.0, vous devez être en possession des matériels et des logiciels suivants :

1. Un ordinateur à base de 486 DX2-66 ou supérieur (Pentium ou supérieur recommandé) équipé de 8, ou mieux, de 16 méga-octets de mémoire vive.
2. Un modem 14 400 bauds ou supérieur.
3. Un disque dur contenant au moins 15 à 25 méga-octets de libres pour installer Internet Explorer 4.0 et les autres composantes de la suite.

   Comptez :

   - 2 méga-octets pour Internet Explorer ;
   - 3,5 méga-octets pour FrontPad ;
   - 1,5 méga-octets pour NetShow ;
   - 3,5 méga-octets pour NetMeeting ;
   - 1,5 méga-octets pour Outlook Express ;
   - quelque 12 méga-octets de DLL et autres librairies dans les répertoires Windows et Windows\System.

4. Le système d'exploitation Windows 95, Windows NT 4.0 ou supérieur ;

5. Les fichiers ou le CD-ROM d'installation de la suite Internet Explorer 4.0.

Bien entendu, pour utiliser Internet Explorer 4.0 en grandeur réelle, c'est-à-dire relié à l'Internet et non hors connexion, vous devez souscrire un abonnement auprès d'un fournisseur d'accès Internet.

Windows est d'autant plus à l'aise que l'espace disque disponible est important. Il est vrai que seuls 15 méga-octets sont nécessaires pour installer la suite Internet Explorer 4.0, mais Windows appréciera que 50 ou 100 méga-octets soient disponibles sur votre disque dur. Dans tous les cas, ne descendez jamais au-dessous des 20 méga-octets disponibles si vous ne voulez pas voir fondre les performances d'exécution de vos applications.

Où se procurer la suite Internet Explorer 4.0 ?

Au jour où nous écrivons cet ouvrage, la version d'évaluation de la suite Internet Explorer 4.0 est téléchargeable sur le Web à l'adresse **http://www.microsoft.com/france/ie40/ie4dwnld.htm** (voir Figure 2.4).

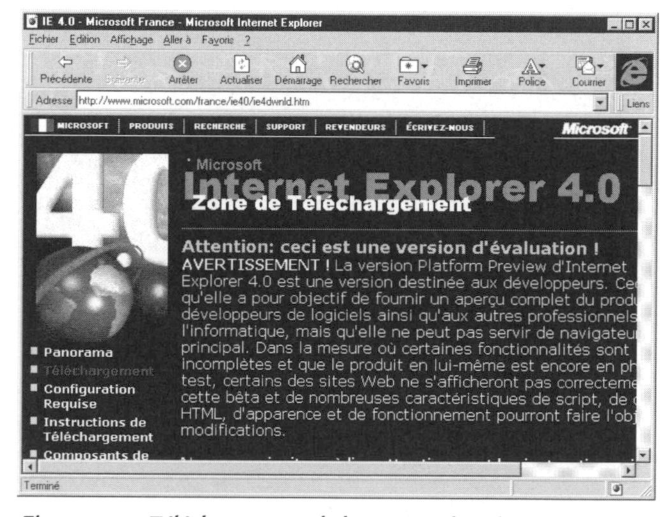

Figure 2.4 : Téléchargement de la version d'évaluation de MSIE 4.0.

Cette version en est encore à un stade de développement et toutes les fonctions proposées dans la version finale ne sont pas actives, mais on peut déjà se faire une bonne idée des possibilités étonnantes de cette nouvelle mouture d'Internet Explorer.

Les deux types d'installation

Deux types d'installation sont possibles. Vous pouvez opter pour :

- la suite Internet Explorer 4.0 seule, c'est-à-dire le navigateur Web et ses composantes satellites ;

- la suite Internet Explorer 4.0 avec Intégration Web activée, c'est-à-dire le navigateur Web et ses composantes satellites ainsi que l'intégration du Web dans le système d'exploitation.

Si vous choisissez la première possibilité, vous obtiendrez la toute dernière version de l'Explorer, mais le bureau de Windows ne sera que très légèrement modifié. En revanche, si vous optez pour la deuxième possibilité, le bureau de Windows sera profondément modifié. Choisissez de préférence la version avec intégration Web activée. Vous aurez ainsi un avant-goût de la version 98 de Windows...

Cliquez sur le lien Assistant d'Installation pour accéder au document de la Figure 2.5.

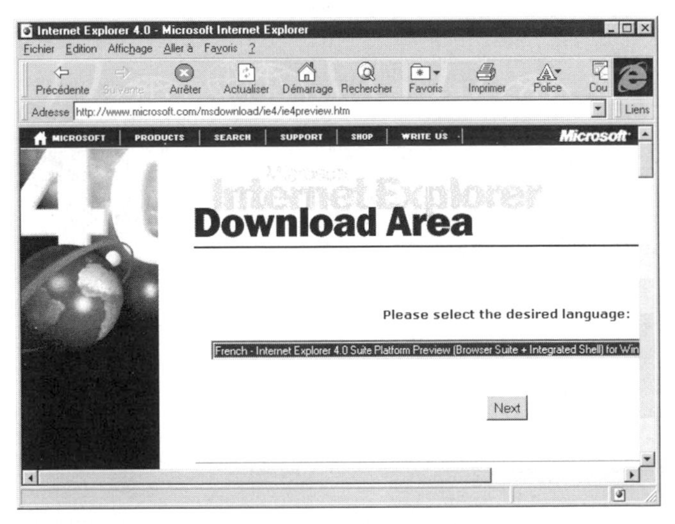

Figure 2.5 : Choix de la langue utilisée par la suite Internet Explorer et du type de la suite.

Appuyez sur Next pour poursuivre l'installation. Vous devez maintenant sélectionner le site sur lequel doit se faire le téléchargement.

Cliquez sur l'un des liens possibles. Quelques instants plus tard, le programme d'installation est enregistré sur votre disque dur. Exécutez-le. Une boîte de dialogue vous informe que la suite Internet Explorer 4.0 va être chargée. Appuyez sur Oui. Une nouvelle boîte de dialogue vous donne le choix entre le téléchargement simple d'Internet Explorer ou entre son téléchargement et son installation.

Sélectionnez une des options puis appuyez sur Suivant. Vous devez maintenant choisir le type de l'installation (voir Figure 2.6).

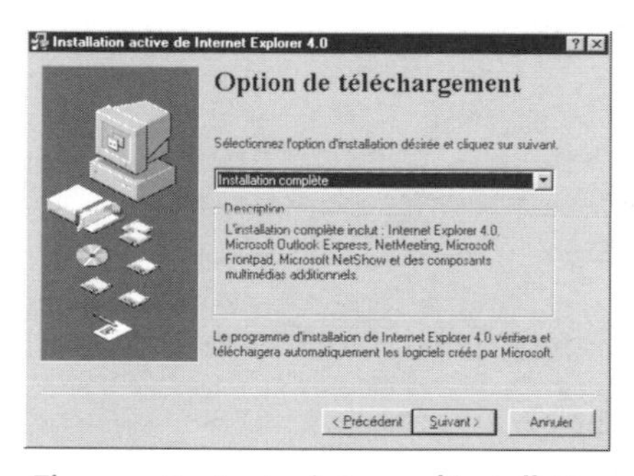

Figure 2.6 : Les trois types d'installations possibles.

Les trois types d'installations correspondent aux divers logiciels installés sur le disque dur :

- **Par défaut.** Microsoft Internet Explorer 4.0, Microsoft Outlook Express et des composantes multimédias additionnelles.

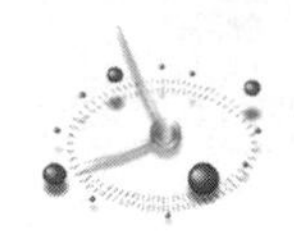

- **Recommandée.** Microsoft Internet Explorer 4.0, Microsoft Outlook Express, Microsoft Frontpad, Microsoft NetShow et des composantes multimédias additionnelles.

- **Complète.** Microsoft Internet Explorer 4.0, Microsoft Outlook Express, NetMeeting, Microsoft Frontpad, Microsoft NetShow et des composantes multimédias additionnelles.

Si vous ne savez pas quelle version installer, voici quelques éléments qui pourront orienter votre choix :

- Le **navigateur Internet Explorer 4.0 et le client de messagerie et de nouvelles Microsoft Outlook Express** sont obligatoires dans toutes les versions. Il n'y a donc aucune question à se poser par rapport à ces deux applications.

- **NetMeeting** est un outil de téléconférence. Il permet à deux ou plusieurs interlocuteurs d'échanger des informations texte, parlées et/ou visuelles (par l'intermédiaire d'une caméra vidéo et d'une carte appropriée). Vous en apprendrez plus sur NetMeeting en vous reportant à l'Heure 9 de cet ouvrage.

- **Microsoft Frontpad** est un éditeur de pages Web. Il vous sera utile si vous désirez créer votre propre site Web. Consultez l'Heure 9 de cet ouvrage pour obtenir des informations à son sujet.

- **Microsoft NetShow** est un "récepteur d'émissions audio/vidéo en temps réel". Il permet d'écouter des émissions parlées et de visualiser des vidéos en temps réel, sans qu'il soit nécessaire d'attendre leur complet téléchargement sur votre disque dur.

- Quelle que soit la configuration choisie, le lecteur multimédia évolué **ActiveMovie** sera installé sur votre disque dur. Si vous optez pour une configuration complète, deux nouveaux outils seront installés : le contrôle audio **Microsoft Interactive Music** et l'outil de sécurité **Microsoft Wallet.** L'étude de ces outils dépasse le cadre de cet ouvrage.

Revenons à l'installation. Un nouveau clic sur Suivant et vous devez préciser le répertoire d'installation d'Internet Explorer.

Un autre clic sur Suivant, et vous devez choisir le site de téléchargement (voir Figure 2.7).

Figure 2.7 : Choix du site de téléchargement.

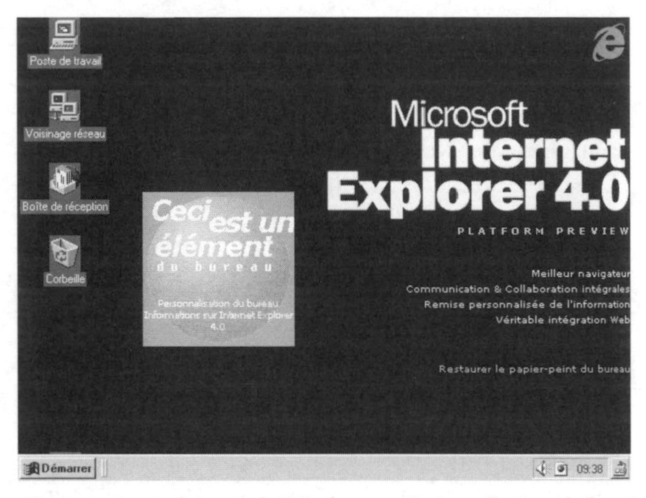

Figure 2.8 : Le bureau de Windows après installation de la suite avec intégration Web activée.

Appuyez une dernière fois sur Suivant pour lancer le téléchargement. Armez-vous de patience. Les fichiers à rapatrier sont nombreux et volumineux.

Si vous avez choisi d'installer manuellement la suite Internet Explorer après son téléchargement, lancez le fichier IE4SETUPB.EXE (suite sans intégration Web activée) ou IE4SETUP.EXE (suite avec intégration Web activée) pour procéder à l'installation. Ces fichiers se trouvent par défaut dans le dossier C:\Installation de Internet Explorer 4.0 après le téléchargement. Vous devez indiquer le type d'installation à effectuer (par défaut, recommandée ou complète) ainsi que le dossier d'installation. Après quelques minutes, la suite Internet Explorer est installée sur votre ordinateur.

A titre indicatif, la Figure 2.8 représente l'allure du bureau de Windows 95 après l'installation de la suite Internet Explorer avec intégration Web activée.

Remarquez les nouvelles icônes dans la partie inférieure droite de l'écran, l'icône Internet sur le bureau qui donne accès à l'Explorateur et les images déposées sur le bureau.

DÉSINSTALLER LA SUITE INTERNET EXPLORER

Après avoir installé la suite Internet Explorer 4.0, il y a fort à parier que vous succomberez vite à son charme et à ses nombreuses possibilités. Voici néanmoins la procédure à suivre pour la désinstaller si vous souhaitez opter pour une version ultérieure de l'Explorer ou pour un autre navigateur.

Cliquez sur le menu Démarrer. Sélectionnez Paramètres puis Panneau de configuration pour afficher la fenêtre du Panneau de configuration. Pointez et cliquez sur l'icône Ajout/Suppression de programmes pour afficher la boîte de dialogue de la Figure 2.9.

Sous l'onglet Installation/Désinstallation, sélectionnez Microsoft Internet Explorer 4.0 et appuyez sur Ajouter/Supprimer. La suppression se fait après confirmation.

Appuyez sur Supprimer tout pour désinstaller la suite Internet Explorer 4.0 ou sur Quitter pour revenir sur votre décision.

La désinstallation est terminée après le redémarrage du système.

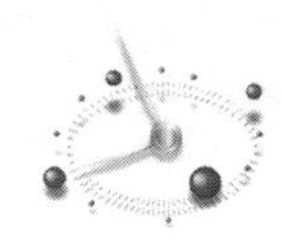

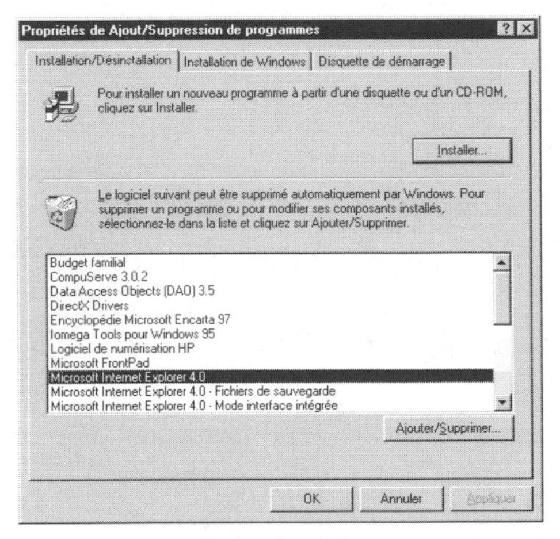

Figure 2.9 : La boîte de dialogue Propriétés de Ajout/Suppression de programmes.

UNE INSTALLATION APRÈS L'INSTALLATION

Après avoir installé une version incomplète de la suite Internet Explorer 4.0 (par défaut ou recommandée), il se peut que vous désiriez installer une ou plusieurs composantes de la suite qui vous paraissaient inutiles de prime abord. Voici comment procéder :

1. Ouvrez le dossier qui contient les fichiers d'installation de la suite.

2. Lancez le fichier IE4SETUPB.EXE pour procéder à un réajustement de la suite sans intégration Web activée, ou le fichier IE4SETUP.EXE pour procéder à un réajustement de la suite avec intégration Web activée.

3. Sélectionnez le type de l'installation et validez.

02-X11 : Modification du type d'installation de la suite Internet Explorer 4.0.

Une nouvelle boîte de dialogue est affichée. Vous pouvez choisir de tout réinstaller ou de mettre à jour les éléments qui ont changé depuis la dernière installation. Sélectionnez une des options et validez pour déclencher l'installation des nouveaux composants.

02-X12 : Modification du type d'installation de la suite Internet Explorer 4.0.

Heure 3

Découvrir Internet Explorer 4.0

Au sommaire de cette heure

- Lancer Internet Explorer 4.0
- Découvrir l'écran d'Internet Explorer
- La page d'accueil
- Les éléments qui composent une page HTML
- Enregistrer les informations obtenues sur le Web
- Paramétrer le cache disque

Cette troisième heure suppose que la suite Internet Explorer soit installée sur votre ordinateur et que vous ayez un compte chez un fournisseur d'accès Internet. Vous allez maintenant apprendre à utiliser et à paramétrer votre nouveau navigateur.

Lancer Internet Explorer 4.0

Quatre méthodes permettent de lancer Internet Explorer :

- une icône sur le bureau ;
- le menu Démarrer ;
- le Poste de travail ou l'Explorateur de fichiers ;
- un raccourci clavier.

Avec une icône du bureau

La façon la plus conventionnelle de lancer Internet Explorer 4.0 consiste à utiliser l'icône Internet, placée automatiquement sur le bureau lors de l'installation. Si vous avez opté pour une installation sans intégration Web activée, double-cliquez sur cette icône. Si vous avez opté pour une installation avec intégration Web activée, un simple clic suffit (voir Figure 3.1).

Internet

Figure 3.1 : L'icône d'Internet Explorer 4.0.

Si vous avez installé la suite Internet Explorer avec intégration Web activée, remarquez que le pointeur change de forme lorsqu'il est placé au-dessus de l'icône d'Internet Explorer. Notez aussi que le nom associé à l'icône change de couleur et devient souligné. Si vous avez déjà surfé sur le Web, ce type de fonctionnement doit vous rappeler

quelque chose. L'installation de la suite Internet Explorer avec intégration Web activée a donc changé le comportement du bureau. Désormais, il suffit de cliquer les icônes qui y sont déposées pour lancer l'application correspondante ou pour ouvrir le fichier correspondant dans l'application associée. Comme nous le verrons dans les pages suivantes, les modifications du système d'exploitation ne se limitent pas aux seules icônes. Elles concernent aussi le Poste de travail et l'Explorateur de fichiers, le menu Démarrer et la barre des tâches et, d'une manière générale, le bureau de Windows lui-même.

Avec le menu Démarrer

Si vous préférez, il est aussi possible d'utiliser le menu Démarrer. Cliquez sur Démarrer. Sélectionnez Programmes puis Internet Explorer 4.0 (voir Figure 3.2).

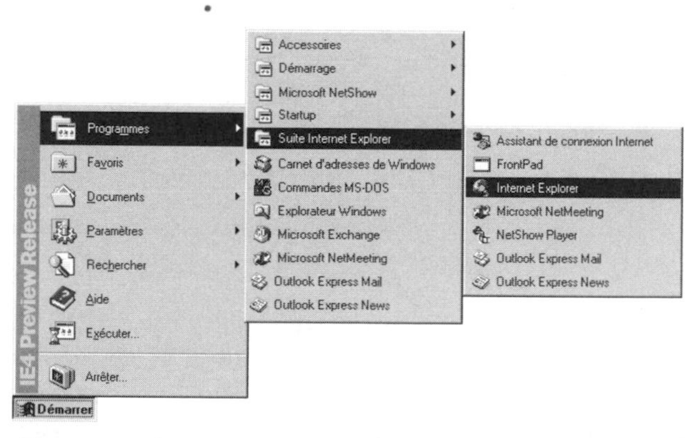

Figure 3.2 : Lancer Internet Explorer avec le menu Démarrer.

Avec le Poste de travail ou l'Explorateur de fichiers

Par défaut, Internet Explorer 4.0 est installé dans le dossier Program Files. Pour lancer Internet Explorer, vous pouvez ouvrir ce dossier dans le Poste de travail (voir Figure 3.3) ou dans l'Explorateur de fichiers (voir Figure 3.4).

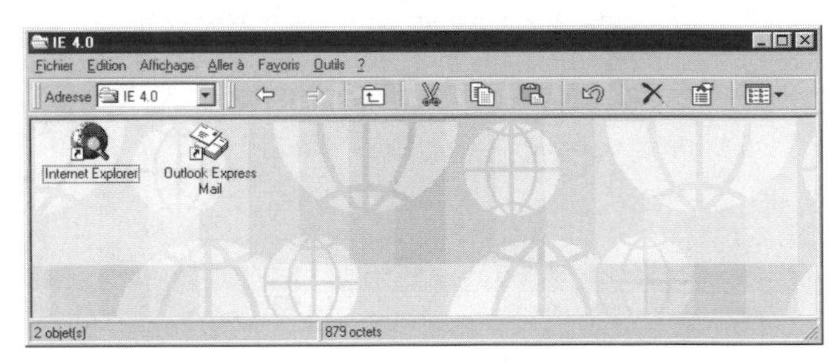

Figure 3.3 : Lancer Internet Explorer avec le Poste de travail.

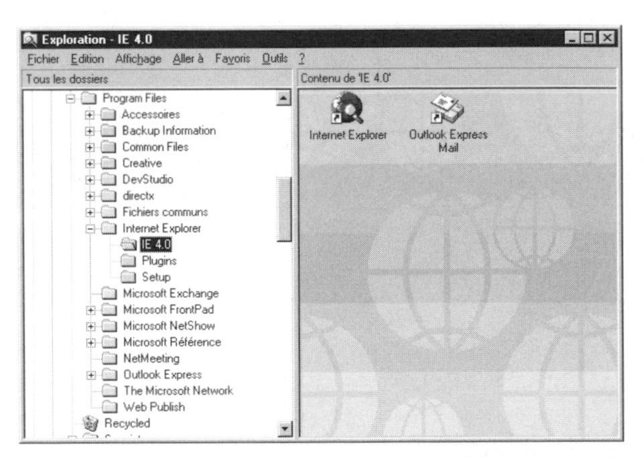

Figure 3.4 : Lancer Internet Explorer avec l'Explorateur de fichiers.

Double-cliquez sur l'icône de raccourci Internet Explorer pour lancer Internet Explorer.

Avec un raccourci clavier

La façon la plus rapide de lancer Internet Explorer consiste à utiliser un raccourci clavier.

Pour affecter un raccourci clavier à l'Internet Explorer, procédez comme suit :

1. Faites un clic droit sur Démarrer et sélectionnez Ouvrir pour afficher la fenêtre du menu Démarrer.

2. Cliquez (ou double-cliquez selon l'installation) sur l'icône Programmes puis sur l'icône Suite Internet Explorer pour afficher le contenu du dossier Suite Internet Explorer.

3. Faites un clic droit sur l'icône de raccourci Internet Explorer et sélectionnez Propriétés dans le menu contextuel pour afficher la boîte de dialogue Propriétés d'Internet Explorer.

4. Cliquez dans la zone de texte Touche de raccourci sous le volet Shortcut. Définissez un raccourci clavier à base de touches Alt, Contrôle, Majuscule et touches alphanumériques, par exemple, Ctrl-Maj-Z (voir Figure 3.5).

5. Validez en appuyant sur OK.

Il est désormais possible de lancer Internet Explorer en appuyant simultanément sur les touches Ctrl-Maj-Z.

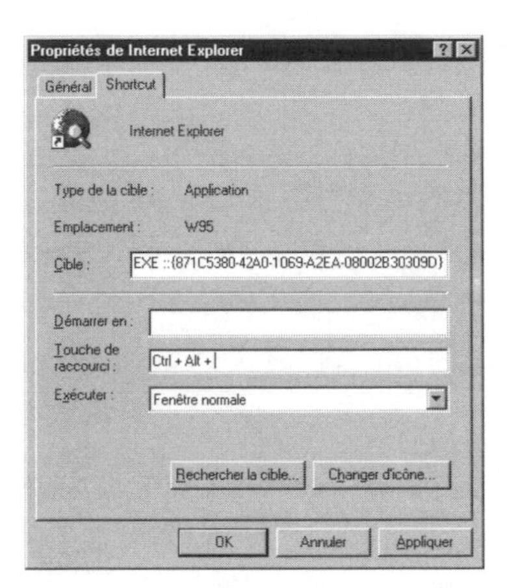

Figure 3.5 : Définition d'un raccourci clavier pour Internet Explorer.

Découvrir l'écran d'Internet Explorer

Lorsque vous lancez Internet Explorer, le programme teste si la connexion est établie avec le fournisseur d'accès. (Ce test suppose que la couche TCP/IP a été installée. Pour avoir de plus amples renseignements, voir Heure 2.)

Si vous n'êtes pas connecté, la boîte de dialogue de la Figure 3.6 est affichée.

La zone de texte Nom d'utilisateur contient le nom spécifié lors de la définition de la connexion avec le fournisseur d'accès (voir Heure 2).

Entrez votre mot de passe dans la zone de texte Mot de passe. Si vous cochez la case Enregistrer le mot de passe, le mot de passe sera enregistré dans la connexion. Il ne sera donc

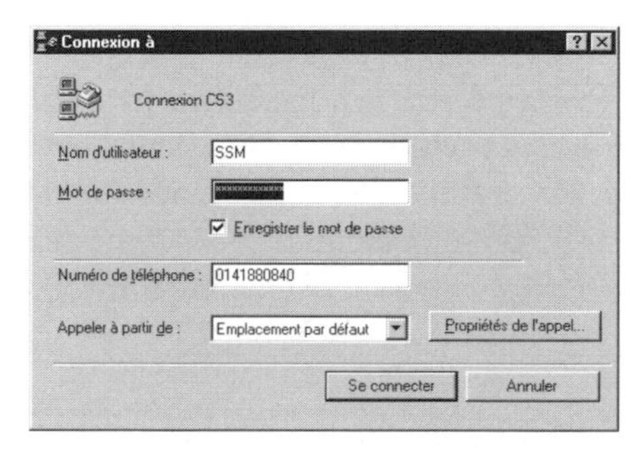

Figure 3.6 : Boîte de dialogue Connexion à pour établir la connexion avec le fournisseur d'accès.

pas nécessaire de le saisir de nouveau lors d'une prochaine connexion. Si vous êtes seul à utiliser la connexion Internet sur cet ordinateur, cochez cette case pour éviter la saisie répétitive du mot de passe. En revanche, si l'ordinateur est utilisé par plusieurs personnes dans une entreprise, vous avez intérêt à saisir le mot de passe à chaque connexion pour éviter qu'une autre personne l'utilise à votre place.

Appuyez sur Se connecter pour établir la connexion. Après quelques instants, une boîte de dialogue indique que la connexion a été établie. La vitesse maximale de la connexion (en bits par seconde) et le temps de connexion apparaissent dans la boîte de dialogue (voir Figure 3.7).

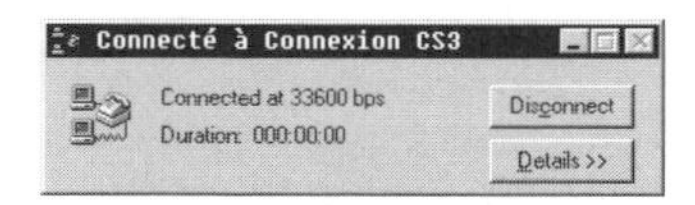

Figure 3.7 : La boîte de dialogue Connecté à indique la vitesse et la durée de la connexion.

Vous pouvez refermer cette boîte de dialogue. Quelques instants plus tard, la fenêtre d'Internet Explorer est affichée. Le bouton Arrêter dans la barre de boutons Standard est coloré en rouge, ce qui signifie que des données sont en cours de transfert. Au bout de quelques secondes, la page HTML par défaut (**http://home.microsoft.com/intl/fr/**) est affichée et le bouton Arrêter est coloré en gris.

Dans un premier temps, nous allons nous intéresser non pas au contenu de la page d'accueil, mais aux éléments qui constituent la fenêtre d'Internet Explorer. Ces éléments sont résumés dans la Figure 3.8.

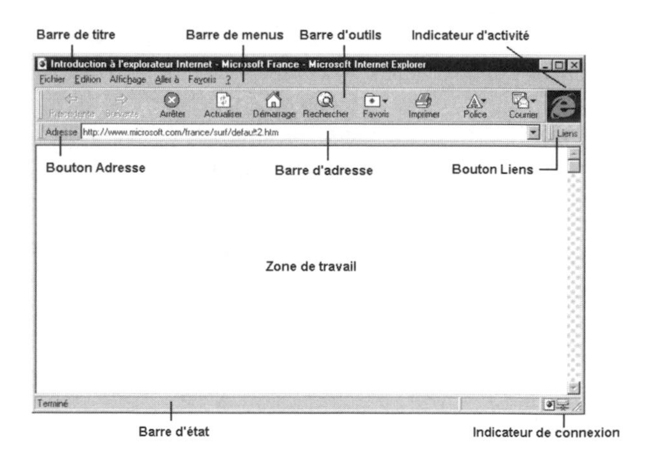

Figure 3.8 : Les éléments qui composent la fenêtre d'Internet Explorer 4.0.

La barre de titre

Comme toutes les applications fenêtrées, la barre de titre d'Internet Explorer contient :

- **A l'extrême gauche, la case du menu système.** Cliquez dessus pour afficher un menu contextuel permettant de déplacer, redimensionner, réduire et maximiser la fenêtre de l'application, activer ou désactiver la barre d'outils et la barre d'état ou encore fermer l'application.
- **Dans la partie centrale, le titre de l'application.** Dans Internet Explorer, ce titre est précédé du nom du document en cours de visualisation. Dans l'exemple de la Figure 3.7, le texte "Internet Explorer 4.0 ! – Microsoft Internet Explorer" est affiché dans la barre de titre. Le nom de la page Web est "Internet Explorer 4.0 !". "Microsoft Internet Explorer" est le nom de l'application.
- **Dans la partie droite, les très classiques cases de réduction, de maximisation et de fermeture de l'application.** La case de réduction replie l'application dans la barre des tâches. La case de maximisation donne la taille maximale à la fenêtre de l'application, et la case de fermeture met fin à l'application.

La barre de menus

La barre de menus se trouve en dessous de la barre de titre. Elle contient six commandes principales (voir Figure 3.9).

Fichier Edition Affichage Aller à Favoris ?

Figure 3.9 : La barre de menus.

Dans les pages suivantes, nous allons passer en revue les commandes de menu les plus importantes. D'autres commandes, plus spécifiques, seront abordées dans les heures suivantes. Cette description systématique est assez fastidieuse, mais elle permettra de trouver rapidement des informations sur une commande de menu dont vous ne comprenez pas la signification exacte.

Le menu Fichier

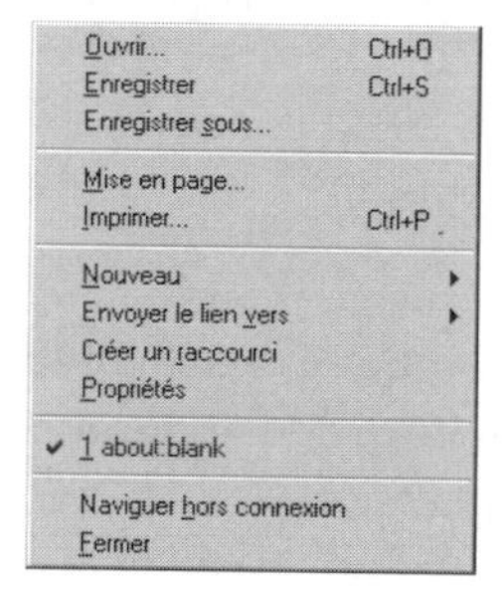

Figure 3.10 : Le menu Fichier.

Le menu Fichier (voir Figure 3.10) contient les classiques commandes d'enregistrement et d'ouverture qui permettent respectivement de sauvegarder la page HTML en cours d'affichage sur le disque dur d'afficher une page HTML précédemment sauvegardée.

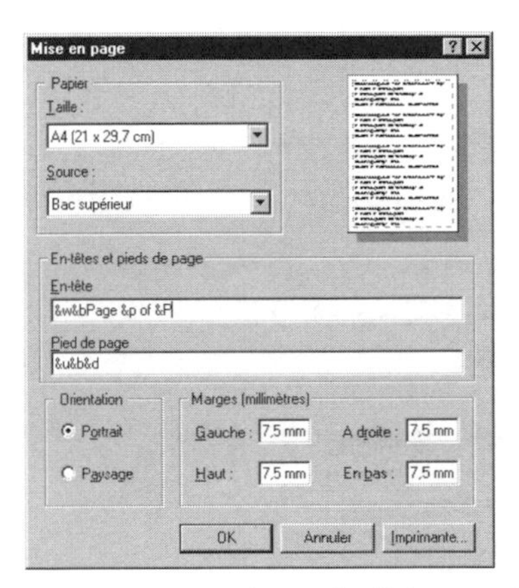

Figure 3.11 : La boîte de dialogue Mise en page.

La commande Mise en page permet de fixer les paramètres d'impression :

- Le format des feuilles imprimées dans la liste déroulante Taille.
- Le mode d'alimentation de l'imprimante si cette dernière peut recevoir des feuilles de différentes sources.
- Les données affichées dans l'en-tête et dans le pied de page (consultez le fichier d'aide d'Internet Explorer en appuyant sur la touche de fonction F1 pour connaître les différents paramètres utilisables).
- L'orientation de l'impression : dans la longueur (Portrait) ou dans la largeur (Paysage).
- Les marges du document.

En appuyant sur Imprimante, il est possible de choisir l'imprimante à utiliser (si plusieurs imprimantes locales ou réseau sont accessibles). Utilisez le bouton Propriétés pour accéder aux paramètres propres à l'imprimante utilisée.

La commande Imprimer permet d'imprimer le contenu de la page Web en cours de visualisation. Elle affiche la boîte de dialogue de la Figure 3.12.

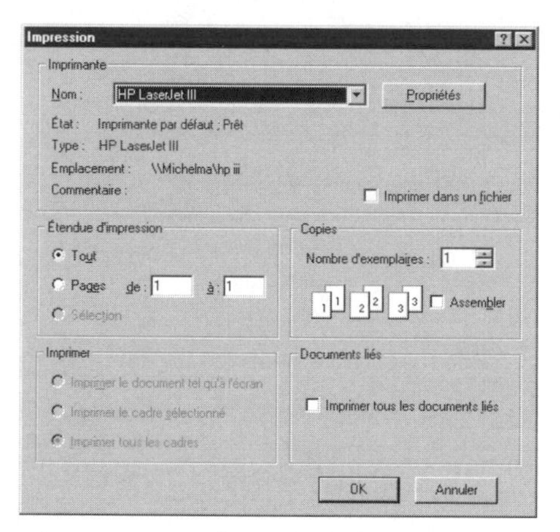

Figure 3.12 : La boîte de dialogue Impression.

Vous pouvez choisir l'imprimante à utiliser, le nombre d'exemplaires de l'impression et spécifier les pages à imprimer (si le document s'étale sur plusieurs pages).

Remarquez le groupe d'options Imprimer. En sélectionnant un des boutons radio, il est possible d'imprimer la page Web telle qu'elle est affichée ou d'en limiter l'impression à un ou plusieurs cadres, c'est-à-dire à une ou plusieurs zones affichées dans la page.

La commande Nouveau donne accès au sous-menu de la Figure 3.13.

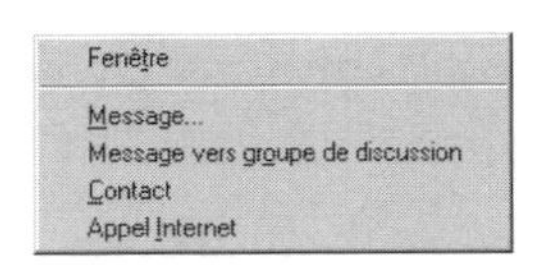

Figure 3.13 : Le sous-menu de la commande Nouveau.

Le tableau suivant décrit la fonction des commandes de ce sous-menu.

Commande	Fonction
Fenêtre	Ouvre une deuxième session d'Internet Explorer pour travailler en parallèle sur deux sites.
Message	Lance l'application Outlook Express pour définir un nouveau courrier électronique.
Message vers groupe de discussion	Lance l'application Outlook Express pour envoyer un message à un groupe de discussion.
Contact	Lance l'application Carnet d'adresses de Windows pour entrer le nom d'un nouveau contact.
Appel Internet	Lance l'application Microsoft NetMeeting pour démarrer une communication avec d'autres personnes sur l'Internet ou un Intranet.

La commande Créer un raccourci place une icône de raccourci de la page courante sur le bureau de Windows (voir Figure 3.14). Pour accéder à la page correspondante, il suffit de cliquer sur cette icône.

Figure 3.14 : Ce raccourci a été défini avec la commande Créer un raccourci dans le menu Fichier.

La commande Propriétés affiche la boîte de dialogue Propriétés qui donne des renseignements sur la page en cours de visualisation.

La partie inférieure du menu Fichier contient la liste des cinq derniers sites visités. Pour accéder simplement à l'un de ces sites, il suffit de le sélectionner dans la liste ou de taper le raccourci clavier correspondant. Par exemple, pour accéder au site numéro 2, vous taperez Alt-F puis 2.

La commande Naviguer hors connexion permet d'examiner les pages Web stockées sur votre disque dur sans qu'aucune connexion avec le fournisseur d'accès soit établie. Si vous tentez d'accéder à des informations qui ne se trouvent pas sur votre disque dur, en cliquant sur un lien inconnu ou en entrant une adresse URL inconnue, une boîte de dialogue vous invite à vous connecter (voir Figure 3.15).

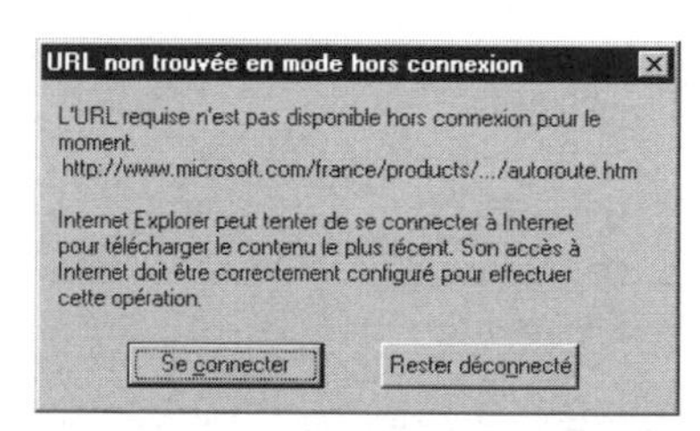

Figure 3.15 : Demande de connexion pour accéder à l'information sélectionnée.

Enfin, est-il besoin de le préciser, la commande Fermer met fin à l'application Internet Explorer.

Le menu Edition

Couper	Ctrl+X
Copier	Ctrl+C
Coller	Ctrl+V
Sélectionner tout	Ctrl+A
Rechercher (dans cette page)...	Ctrl+F

Figure 3.16 : Le menu Edition.

Sur les trois premières entrées, seule la commande Copier sera utilisée. Cette commande place dans le presse-papiers le bloc de texte sélectionné. Ce dernier pourra être copié dans une autre application en utilisant la commande Coller dans le menu Edition de cette application.

Pour sélectionner la totalité de la page en cours de visualisation, utilisez la commande Sélectionner tout ou appuyez sur Ctrl-A.

Enfin, utilisez la commande Rechercher ou appuyez sur Ctrl-F pour rechercher un mot ou un groupe de mots dans la page en cours de visualisation (voir Figure 3.17).

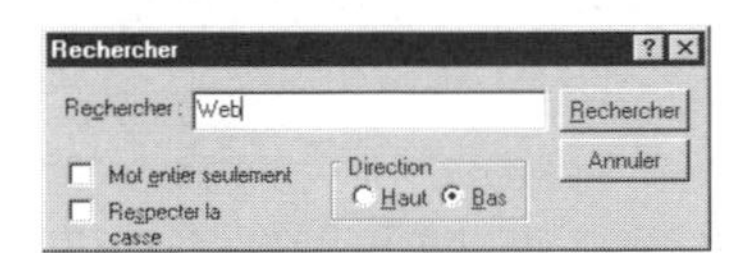

Figure 3.17 : Recherche d'un mot dans la page courante.

La boîte de dialogue Rechercher est très classique. Cochez la case Mot entier seulement pour que les termes contenant le mot recherché, mais non identiques au mot recherché ne soient pas sélectionnés. Cochez la case Respecter la casse si la recherche doit tenir compte des majuscules et des minuscules. Sélectionnez le sens de la recherche, puis appuyez sur Rechercher pour surligner la prochaine occurrence du terme recherché.

Le menu Affichage

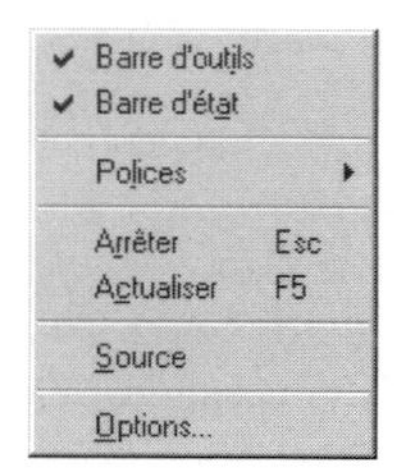

Figure 3.18 : Le menu Affichage.

Les commandes Barre d'outils et Barre d'état fonctionnent comme des interrupteurs. Elles définissent l'affichage ou l'inhibition de la barre d'outils et de la barre d'état.

La commande Polices permet de régler la taille des caractères affichés dans le navigateur. Choisissez l'une des cinq valeurs possibles : La plus grande, Plus grande, Moyenne, Plus petite ou La plus petite. La valeur courante est précédée d'une coche.

La commande Arrêter (raccourci clavier Echap) est équivalente au bouton Arrêter de la barre d'outils. Elle interrompt le transfert des données vers/depuis le site courant. Vous l'utiliserez en particulier lorsqu'un site est surchargé ou lorsque sa réponse se fait trop attendre.

La commande Actualiser (raccourci clavier F5) est équivalente au bouton Actualiser de la barre d'outils. Elle provoque le rechargement de toutes les données qui composent la page en cours de visualisation. Cette commande est utilisée suite à une modification du paramétrage du navigateur ou si le chargement des données a été interrompu.

La commande Source affiche le code HTML correspondant à la page en cours de visualisation (voir Figure 3.19).

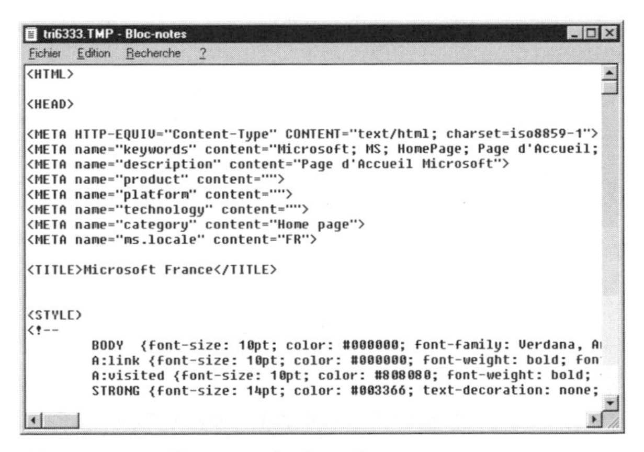

Figure 3.19 : Un exemple de code source.

La commande Options est très importante. Elle règle le fonctionnement général de l'Explorateur. Les divers paramètres accessibles par l'intermédiaire de cette commande seront examinés dans l'Heure 5.

Le menu Aller à

Précédente	Alt+Flèche gauche
Suivante	Alt+Flèche droite
Page de démarrage	
Rechercher sur le Web	
Le meilleur du Web	
Courrier	
News	
Contacts	
Appel Internet	

Figure 3.20 : Le menu Aller à.

Les commandes Précédente et Suivante sont équivalentes aux boutons de même nom dans la barre d'outils. Elles affichent respectivement la page précédemment visualisée et la page suivante.

En cliquant à droite sur les boutons Précédente ou Suivante de la barre d'outils, un menu contextuel donne immédiatement accès aux sites visités pendant la session courante.

La commande Page de démarrage affiche la page dont l'adresse a été spécifiée sous l'onglet Exploration de la boîte de dialogue Options (voir Figure 3.21).

La commande Rechercher sur le Web se connecte par défaut à un site **http://www.microsoft.com/france/surf/default.htm** qui permet d'accéder en quelques clics aux serveurs de recherche Web les plus courants.

La commande Le meilleur du Web se connecte par défaut au guide thématique **http://leguide.fr.msn.com/default.asp**

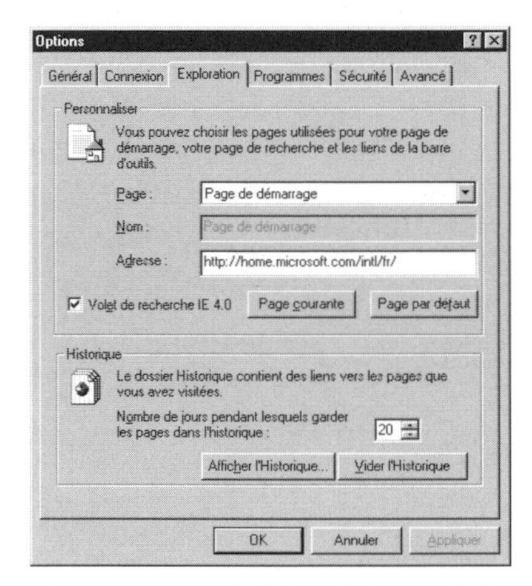

Figure 3.21 : Définition de l'URL de la page de démarrage.

concocté par Microsoft. En quelques clics de souris, vous accédez à de nombreux sites francophones d'intérêt général.

La commande Courrier lance l'application Outlook Express Mail afin que vous puissiez saisir un nouveau courrier électronique, télécharger les courriers qui vous sont destinés ou les examiner.

La commande News lance l'application Outlook Express News dédiée à la gestion des groupes de nouvelles.

La commande Contacts affiche le carnet d'adresses de Windows qui permet de retrouver un de vos contacts ou de définir un nouveau contact.

Enfin, la commande Appel Internet lance l'application Microsoft NetMeeting pour démarrer une communication avec d'autres personnes sur l'Internet ou un Intranet.

Le menu Favoris

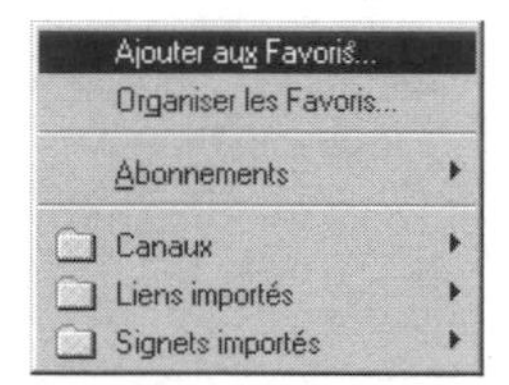

Figure 3.22 : Le menu Favoris.

La commande Ajouter aux Favoris mémorise le site en cours dans la liste des favoris. Cette commande affiche la boîte de dialogue de la Figure 3.23.

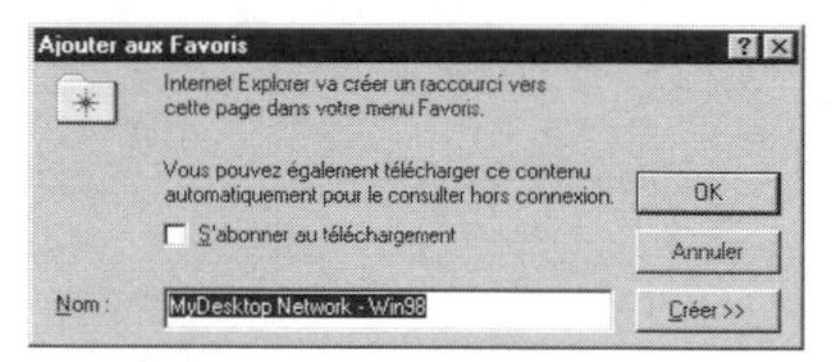

Figure 3.23 : La boîte de dialogue Ajouter aux Favoris.

Le nom du site est affiché dans la zone de texte. Si nécessaire, vous pouvez le modifier. Appuyez sur OK pour enregistrer le site.

Si vous cochez la case S'abonner au téléchargement, Internet Explorer détecte automatiquement les modifications apportées sur ce site et les rapatrie sur votre ordinateur selon la périodicité qui vous convient. Un clic sur OK provoque l'affichage de la boîte de dialogue Abonnement dans laquelle vous pouvez changer la périodicité par défaut en appuyant sur Propriétés (voir Figure 3.24).

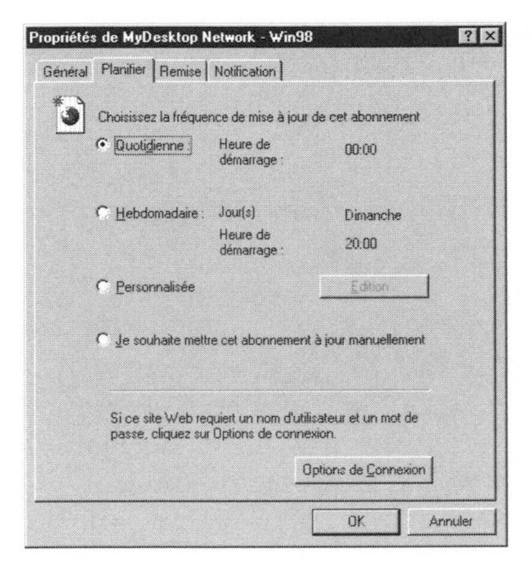

Figure 3.24 : Modification de la périodicité de la mise à jour.

Choisissez un autre type de mise à jour et validez en appuyant sur OK.

La commande Organiser les favoris donne une vue globale des favoris. Il est possible de déplacer, renommer, supprimer ou ouvrir chacune des entrées listées (voir Figure 3.25).

La méthode à utiliser est très simple : sélectionnez un ou plusieurs fichiers dans la liste (maintenez la touche Maj enfoncée pour sélectionner plusieurs fichiers) puis cliquez sur un des trois boutons de réorganisation : Déplacer, Renommer ou Supprimer. Le bouton Ouvrir affiche la page sélectionnée dans l'Explorateur et le bouton Fermer referme la fenêtre Organiser les Favoris.

La commande Abonnements donne accès au sous-menu de la Figure 3.26.

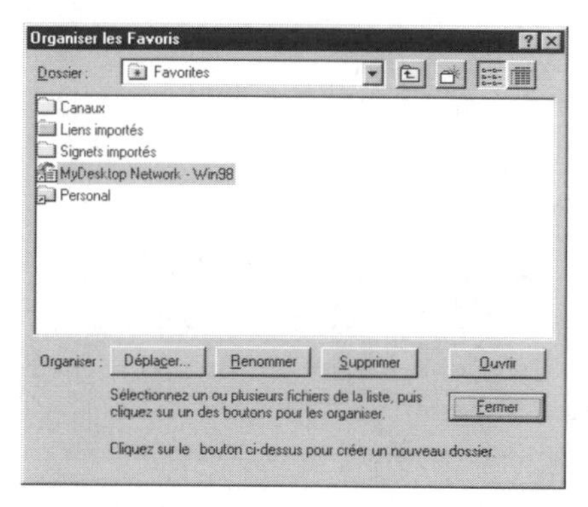

Figure 3.25 : La boîte de dialogue Organiser les Favoris.

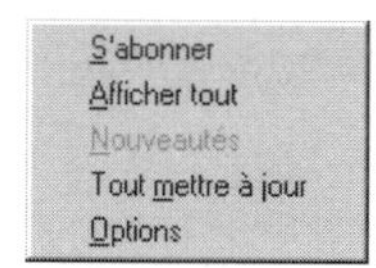

Figure 3.26 : Le sous-menu de la commande Abonnements.

La commande S'abonner définit un abonnement pour le site courant. Comme précédemment, vous pouvez modifier la périodicité par défaut de la mise à jour.

La commande Afficher tout affiche la boîte de dialogue Subscriptions dans laquelle apparaissent tous les abonnements.

La commande Tout mettre à jour déclenche la mise à jour immédiate de tous les abonnements.

Enfin, la commande Options affiche la boîte de dialogue Propriétés globales qui régit le fonctionnement des abonnements.

Nous examinerons le fonctionnement de cette boîte de dialogue dans la onzième heure de cet ouvrage.

Les dernières entrées du menu Favoris permettent d'accéder à vos sites préférés.

Le menu ?

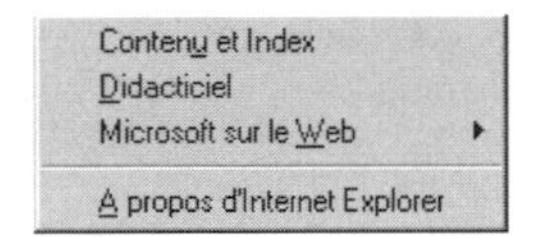

Figure 3.27 : Le menu ?.

Le menu d'aide donne accès à l'aide en ligne d'Internet Explorer.

Lancez la commande Contenu et Index pour accéder aux rubriques de l'aide.

La commande Didacticiel provoque la connexion sur le site **http://www.microsoft.com/France/surf/didactic.htm** où Microsoft donne des informations en français pour orienter les internautes débutants (voir Figure 3.28).

La commande Microsoft sur le Web donne accès à un sous-menu dont les commandes sont résumées dans le tableau suivant.

Commande	Fonction
Produits gratuits	Site de téléchargement des programmes gratuits diffusés par Microsoft.
Obtenir un accès plus rapide à l'Internet	Informations sur les connexions Internet via Numéris, le réseau numérique de France Télécom.

Commande	Fonction
Informations sur le produit	Informations en français sur Internet Explorer 4.0.
Questions souvent posées	Questions les plus fréquentes des utilisateurs d'Internet Explorer 4.0.
Support en ligne	Informations techniques sur Internet Explorer 4.0 (FAQ sur NetMeeting, Internet Mail et Internet News, problèmes connus, etc.).
Envoyer commentaires	Donne accès à un formulaire permettant d'envoyer à Microsoft vos remarques et rapports d'anomalie sur Internet Explorer 4.0.
Le meilleur du Web	Connexion sur le guide thématique Microsoft **http://leguide.fr.msn.com/default.asp** qui donne accès à de nombreux sites francophones d'intérêt général.
Recherches sur le Web	Connexion sur le site de recherche Microsoft **http://www.microsoft.com/france/surf/default.htm** qui permet d'accéder en quelques clics aux sites de recherche Web les plus courants.
Page d'accueil de Microsoft	Donne accès à la page d'accueil de Microsoft **http://www.Microsoft.com/France/** qui est la base de nombreuses autres pages relatives aux produits Microsoft.

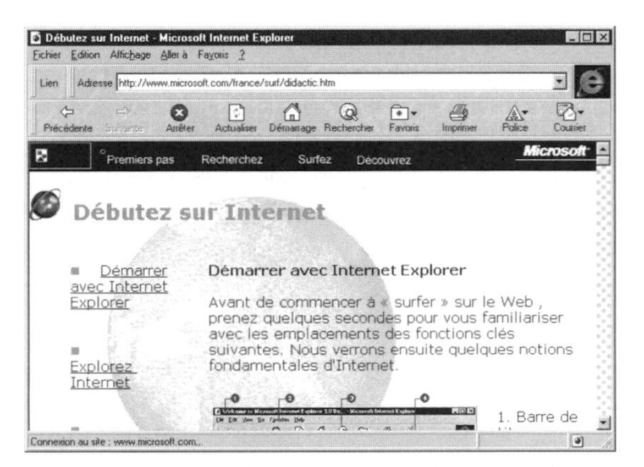

Figure 3.28 : Le didacticiel Internet de Microsoft.

La barre d'outils

Les dix boutons de la barre d'outils facilitent le lancement des commandes les plus courantes.

Figure 3.29 : La barre d'outils d'Internet Explorer.

Affiche la page précédemment visualisée. Il est possible de cliquer plusieurs fois sur ce bouton pour remonter de page en page jusqu'à la première page de la session.

Cette icône permet de réafficher les anciennes pages suite à un ou plusieurs appuis sur l'icône Précédente.

Interrompt le transfert des données vers/depuis le site courant. Cette icône sera utilisée dans deux cas :

suite à une erreur de saisie dans l'URL ou si le site visité ne répond pas assez rapidement.

Demande le rechargement de la page courante. Cette icône sera utile pour actualiser une page dont le contenu a pu changer ou dont la réception a été interrompue par un clic sur l'icône Arrêter.

Affiche la page d'accueil.

Se connecte au site de recherche Web de Microsoft.

L'icône Favoris donne accès au menu de la Figure 3.30.

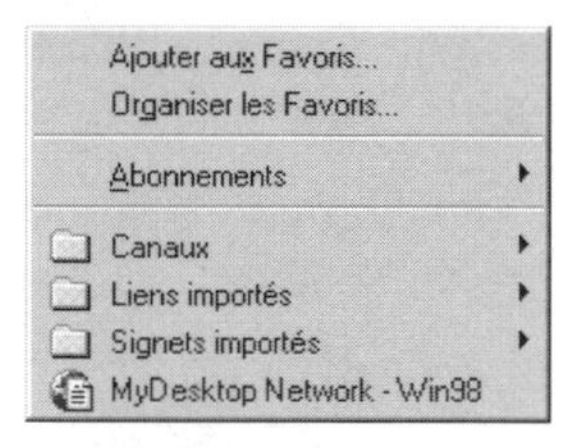

Figure 3.30 : Le menu de l'icône Favoris.

Les commandes de ce menu sont identiques à celles du menu Favoris. Nous n'y reviendrons pas.

Affiche la boîte de dialogue Impression qui permet d'imprimer le document tel qu'il est affiché sur l'écran ou un des cadres qui le composent.

L'icône Police donne accès au menu de la Figure 3.31.

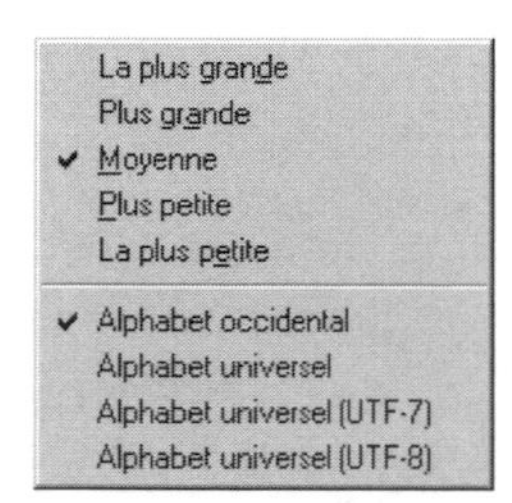

Figure 3.31 : Le menu de l'icône Police.

Les cinq premières commandes règlent la taille de la police utilisée dans l'Explorateur. Les quatre dernières entrées définissent le type de la police utilisée.

Cette icône donne accès au menu de la Figure 3.32.

Figure 3.32 : Le menu de l'icône Courrier.

La commande Lire le courrier affiche la boîte de réception de l'application Outlook Express afin que vous preniez connaissance de votre courrier.

Le bouton Nouveau message permet de définir un nouveau courrier.

La commande Envoyer un lien crée un nouveau courrier et y place l'URL du document courant.

La commande Envoyer le document en cours place le document HTML courant dans un courrier électronique.

Enfin, la commande Lire les News donne accès aux groupes de nouvelles dans l'application Outlook Express.

Dans la partie droite de la barre d'outils, remarquez le témoin d'activité qui s'anime lorsque des données sont en cours de transmission. Cette icône devient inanimée lorsque la page courante est entièrement chargée, lorsque vous perdez la liaison ou lorsque vous utilisez l'Explorateur hors connexion.

La barre d'adresse

La liste déroulante de la barre d'adresse contient en permanence l'adresse URL de la page courante.

Cette adresse change donc lorsque vous passez à une autre page en cliquant sur un lien de la page courante. En utilisant le bouton fléché de la liste déroulante Adresse, vous pouvez accéder simplement aux derniers sites visités (voir Figure 3.33).

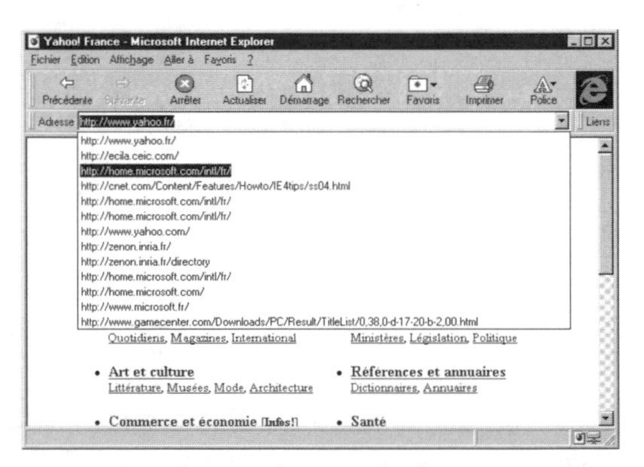

Figure 3.33 : Accès à l'un des derniers sites visités.

Si nécessaire, vous pouvez aussi utiliser la liste déroulante Adresse pour saisir l'adresse du site à visiter. Mais attention aux fautes de frappe ! Les adresses URL sont souvent longues et ne supportent aucune erreur.

Le bouton Liens

Le bouton Liens est généralement situé à droite de la barre d'adresse. En cliquant dessus, la liste déroulante Adresse disparaît. Elle est remplacée par cinq boutons (voir Figure 3.34).

Figure 3.34 : Les liens par défaut de la barre de boutons Liens.

Le meilleur du Web

Le bouton Le meilleur du Web est équivalent à la commande de même nom dans le menu Aller à. Il provoque la connexion au guide thématique **http://leguide.fr.msn.com/default.asp** écrit par Microsoft. Ce site permet d'accéder en quelques clics à de nombreux sites francophones d'intérêt général.

Liens du jour

Ce bouton donne accès à une liste de liens vers des sites récents qui, selon Microsoft, présentent un intérêt.

Galerie du Web

Ce bouton donne accès à la galerie Microsoft sur laquelle vous pourrez télécharger des images, des sons, des contrô-

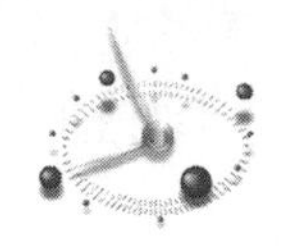

les ActiveX, des applets Java, des fontes TrueType et bien d'autres choses encore.

Infos produits

Ce bouton donne accès à un site qui regroupe des informations sur tous les nouveaux produits Microsoft en rapport avec Internet : dernières versions de l'Explorateur, de NetMeeting, de Microsoft Chat, etc.

Microsoft

Le bouton Microsoft provoque la connexion sur la page d'accueil du site Web français de Microsoft. Cette page est le point de départ de nombreuses autres pages dédiées aux produits Microsoft.

La zone de travail

Après avoir passé en revue les différentes commandes de menu d'Internet Explorer, nous allons nous intéresser à la partie centrale de l'Explorateur dans laquelle sont affichées les pages HTML chargées sur le Web. Cette zone est d'autant plus grande que la résolution d'affichage est élevée. Si vous avez la chance de travailler sur un écran de 17 pouces ou plus, optez pour un affichage en 1024 × 768 points. Si la diagonale de votre écran ne mesure que 14 ou 15 pouces, choisissez plutôt un affichage en 800 × 600 points.

La résolution correspond au nombre de points affichés sur l'écran. Dans Windows, les résolutions courantes sont 640 × 480 points, 800 × 600 points, 1024 × 768 points et 1280 × 1024 points.

Pour modifier la résolution, cliquez à droite sur une partie inoccupée du bureau et sélectionnez Propriétés dans le menu contextuel. La résolution est choisie sous l'onglet Configuration (voir Figure 3.35).

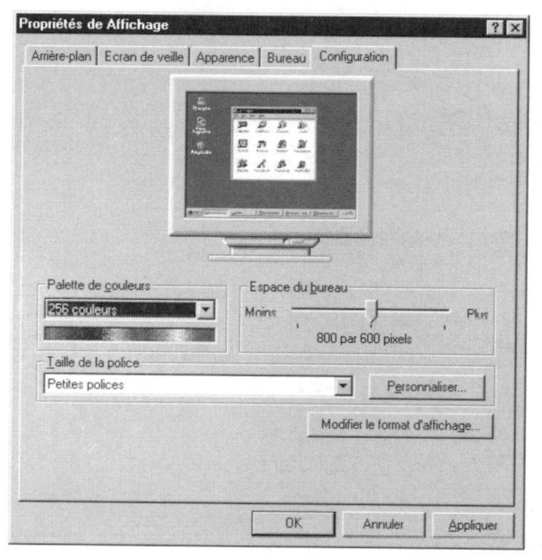

Figure 3.35 : Modification de la résolution d'affichage.

La barre d'état

La barre d'état occupe la partie inférieure de la fenêtre d'Internet Explorer. Très précieuse, elle affiche des messages texte qui donnent des renseignements sur l'opération en cours (Recherche du site ..., Ouverture de la page ..., etc.) et indique l'adresse URL du lien hypertexte pointé.

La page d'accueil

La page d'accueil d'Internet Explorer est affichée dès le lancement de l'application. Elle correspond par défaut à la page principale du site Web français de Microsoft d'adresse **http://home.microsoft.com/intl/fr/**. Si vous le désirez, il est possible de changer la page d'accueil. Lancez la commande Options dans le menu Affichage, sélectionnez l'onglet Exploration et indiquez l'adresse de la nouvelle page d'accueil (voir Figure 3.36).

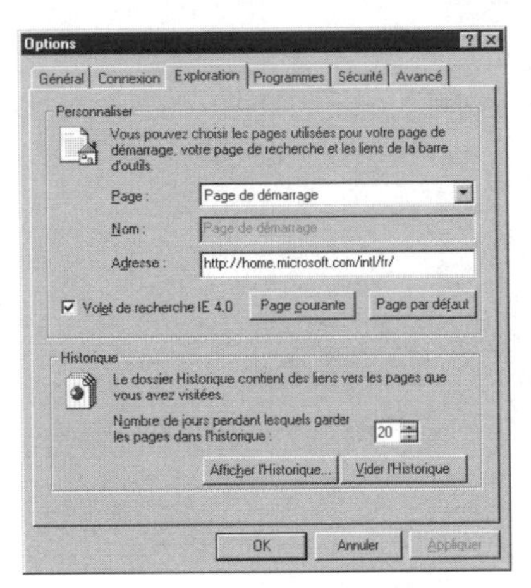

Figure 3.36 : La modification de la page d'accueil se fait dans cette boîte de dialogue.

Les éléments qui composent une page Web

Il y a quelques années seulement, les seules informations qui pouvaient être échangées sur l'Internet étaient des textes et des fichiers binaires. Aujourd'hui, le Web a bouleversé la donne et a vulgarisé un univers qui était jusqu'alors réservé à un public averti. Désormais, tout un chacun peut y trouver des informations en rapport avec ses centres d'intérêts ou avec son travail.

Comme nous l'avons déjà indiqué dans la première heure, les pages Web sont essentiellement composées de textes, de liens hypertexte et d'images.

Les textes peuvent être affichés avec différentes polices, tailles et attributs. Leur mise en page peut être linéaire ou très sophistiquée. Les liens hypertexte renvoient vers d'autres pages en rapport avec les sujets traités dans la page courante. Enfin, les images peuvent être utilisées pour illustrer un bloc de texte, comme fond d'écran ou encore pour donner un peu de vie à une page Web trop statique. Si cette troisième technique vous intéresse, faites des recherches sur le terme "GIF animée" à l'aide d'un des sites de recherches Web décrits dans la quatrième heure de cet ouvrage.

Les textes, les liens et les images ne sont pas les seuls éléments qui peuvent être intégrés dans une page Web. Certains sites affectent des sons WAV à des liens hypertexte. Il suffit de cliquer sur un de ces liens pour rapatrier le son sur votre ordinateur et l'écouter. Cela suppose que votre machine est équipée en conséquence, c'est-à-dire qu'elle comporte une carte son et des haut-parleurs. D'autres sites contiennent des sons diffusés en continu, sans qu'aucun téléchargement ne soit nécessaire au préalable. Cette prouesse repose sur l'utilisation de modules particuliers, tels que RealAudio ou encore Microsoft NetShow. La version 4.0 d'Internet Explorer est fournie avec les éléments nécessaires à l'audition des sons RealAudio. Pour vous en convaincre, vous pouvez visiter le site de France Info à l'adresse **http://www.radio-France.fr/France-info/**. Cliquez sur le lien France Info live pour écouter quelques minutes d'actualité en direct (voir Figure 3.37).

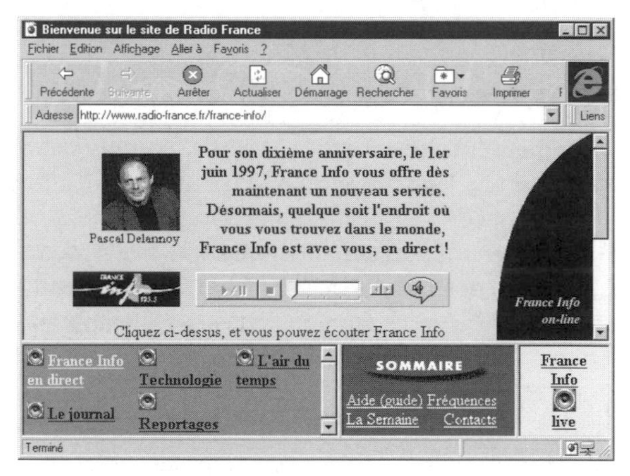

Figure 3.37 : Le site France Info diffuse de l'information live sous forme RealAudio.

Pour obtenir plus de renseignements sur le module de visualisation audio/vidéo Microsoft NetShow, reportez-vous à la onzième heure de cet ouvrage.

Même si la vitesse de communication des modems est un vrai goulet d'étranglement, certains sites n'hésitent pas à diffuser des séquences vidéo. Ici aussi, il faut distinguer les séquences vidéo qui doivent être téléchargées avant leur visualisation (attention, le temps nécessaire pour télécharger une vidéo de quelques secondes peut demander plusieurs minutes, voire plusieurs dizaines de minutes si le site est surchargé !) et les séquences vidéo que l'on peut visualiser en direct, sans qu'aucun téléchargement ne soit nécessaire. Le module Microsoft NetShow permet une telle prouesse. Reportez-vous à la onzième heure de cet ouvrage pour savoir comment l'utiliser.

Enregistrer les informations obtenues sur le Web

Lors de vos voyages sur le Web, vous rencontrerez des sites dont vous désirerez garder une trace sur votre disque dur. Internet Explorer mémorise automatiquement sur le disque dur le contenu des dernières pages visualisées. C'est la raison pour laquelle l'accès à certains sites semble instantané : les informations ne proviennent pas d'Internet, mais du disque dur. La zone de stockage est appelée "mémoire cache".

Pour avoir un aperçu des éléments mémorisés dans la mémoire cache, procédez comme suit :

1. Lancez la commande Options dans le menu Affichage.
2. Sélectionnez l'onglet Avancé.
3. Appuyez sur Visualiser fichiers dans le groupe d'options Fichiers Internet temporaires (voir Figure 3.38).

Les informations mémorisées pour chaque fichier sont très complètes :

- Nom du fichier ;
- Adresse Internet complète ;

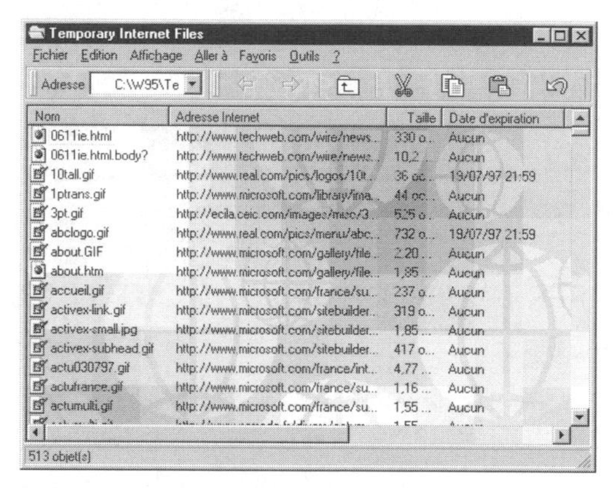

Figure 3.38 : Les fichiers temporaires mémorisés par Internet Explorer.

- Taille en octets ;
- Date d'expiration (le cas échéant) ;
- Date de dernière modification ;
- Date de dernier accès ;
- Date de dernière vérification.

Afin de faciliter le repérage d'un fichier dans la liste, il est possible de réorganiser les données par ordre alphabétique selon l'une de ces informations en cliquant sur correspondant. Lorsque le fichier recherché est localisé, il suffit de cliquer dessus pour le visualiser dans Internet Explorer.

Malheureusement, le cache disque n'est pas éternel : les fichiers les plus anciens sont détruits pour laisser la place aux plus récents. Si une page Web ou une image vous intéresse vraiment, il est donc prudent de la sauvegarder d'une façon plus durable.

Pour sauvegarder la page courante, lancez la commande Enregistrer sous dans le menu Fichier. Choisissez le disque, le dossier et le nom de la sauvegarde. Pour afficher à nouveau la page ainsi sauvegardée, vous utiliserez la commande Ouvrir dans le menu Fichier.

Pour sauvegarder une image, pointez-la et faites un clic droit. Un menu contextuel est affiché. Choisissez éventuellement le nom de la sauvegarde.

Vous pouvez aussi affecter l'image pointée au papier peint de Windows. Faites un clic droit sur l'image et sélectionnez Etablir en tant que papier peint dans le menu contextuel.

Enfin, vous pouvez mémoriser l'adresse de la page courante ou d'un de ses liens dans la liste des Favoris. Vous pourrez ainsi y accéder très simplement.

Pour placer l'adresse URL de la page courante dans les Favoris, lancez la commande Ajouter aux Favoris dans le menu Favoris. La boîte de dialogue Ajouter aux Favoris est affichée. Le nom par défaut de la page apparaît dans la zone de texte Nom. Si vous le souhaitez, il est possible de changer ce nom. En appuyant sur OK, l'adresse est enregistrée dans la racine des Favoris. Si vous le souhaitez, vous pouvez appuyer sur Créer pour accéder aux sous-dossiers par défaut du dossier Favorites ou créer vos propres sous-dossiers (voir Figure 3.39).

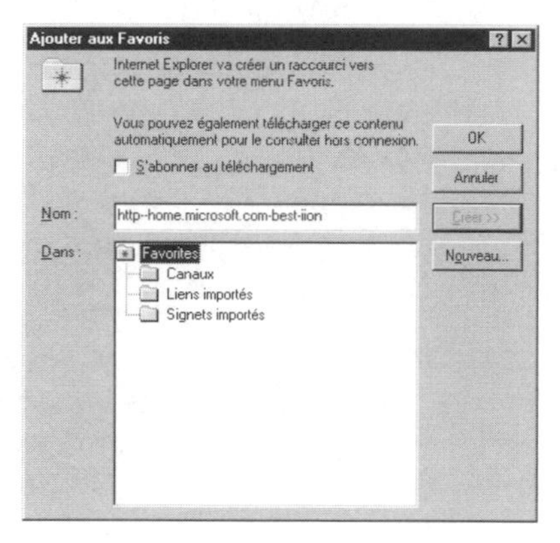

Figure 3.39 : Accès aux sous-dossiers du dossier Favorites.

PARAMÉTRER LE CACHE DISQUE

Comme nous venons de le voir, les sites que vous explorez sont automatiquement enregistrés dans le défaut, sa taille maximale est égale à 3 % de la taille du disque dur. Si vous le souhaitez, vous pouvez déplacer le cache sur un autre disque dur ou dans un autre dossier. De même, vous pouvez modifier sa taille. Pour cela, lancez la commande Options dans le menu Affichage, sélectionnez l'onglet Avancé et appuyez sur Paramètres. Utilisez :

- le curseur Espace disque à utiliser pour régler la taille maximale du cache ;
- le bouton Déplacer dossier pour placer le cache sur un autre disque, dans un autre dossier ou pour le renommer (voir Figure 3.40).

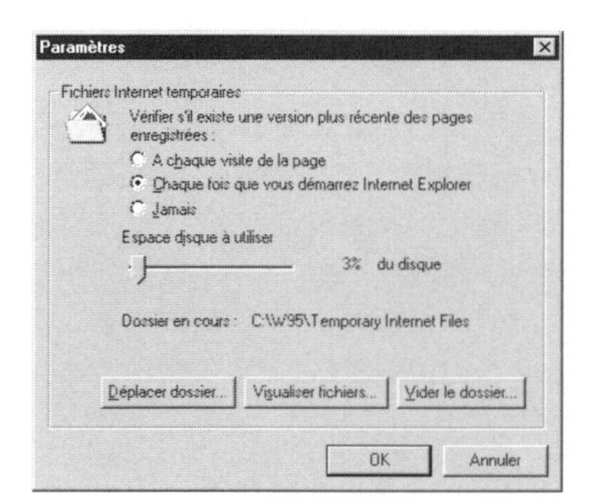

Figure 3.40 : Modification des paramètres du cache disque.

Le bouton Visualiser fichiers affiche le contenu du cache disque.

Le bouton Vider le dossier efface tous les fichiers contenus dans le cache disque.

Heure 4

Les outils de recherche sur le Web

Au sommaire de cette heure

- Le site de recherche de Microsoft
- Les trois types de moteurs de recherche
- Les moteurs de recherche français
- Les autres moteurs de recherche
- Recherches FTP
- Les Favoris

La page affichée par défaut au démarrage d'Internet Explorer correspond au site Web français de Microsoft. C'est assurément un bon point de départ pour vous entraîner à naviguer sur le Web, mais si vous recherchez des informations sur un sujet précis, vous avez tout intérêt à faire appel à un site spécialisé dans la recherche sur le Web. Nous allons vous montrer comment procéder dans cette quatrième heure.

Le site de recherche de Microsoft

Dans la barre d'outils d'Internet Explorer, le bouton Rechercher (ou la commande Rechercher sur le Web dans le menu Aller à) donne accès aux principaux sites de recherche : Infoseek, Lycos, Excite, Yahoo!, Altavista et HotBot (voir Figure 4.1).

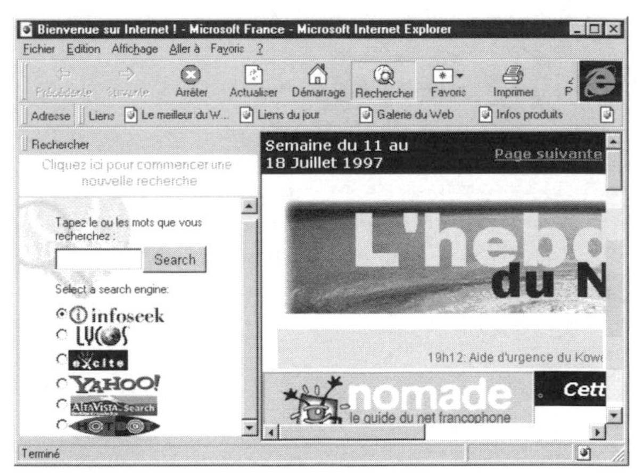

Figure 4.1 : Les sites de recherches accessibles depuis le site de recherche de Microsoft.

Entrez les mots recherchés dans la zone de texte du volet de recherche puis appuyez sur Search pour lancer la recherche. Quelques instants plus tard, une liste de sites en rapport avec le sujet sélectionné se trouve à portée de souris (voir Figure 4.2).

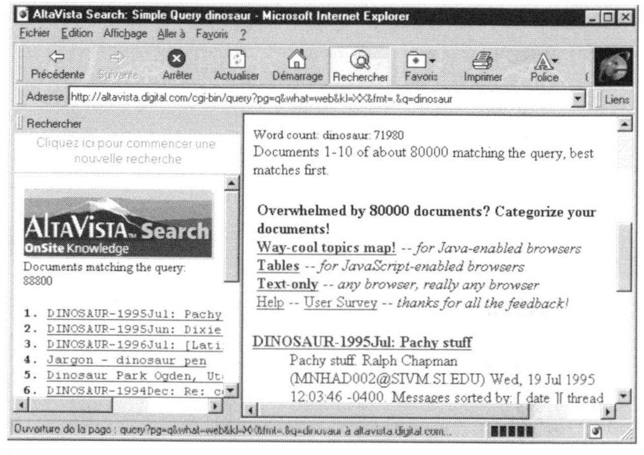

Figure 4.2 : Un exemple de recherche Altavista sur le mot dinosaur.

Le volet de recherche est très pratique. Il permet de sélectionner tour à tour plusieurs des résultats de la recherche sans avoir à revenir constamment en arrière avec le bouton Précédent.

Si vous utilisez un site de recherche dont le domaine d'action n'est pas limité à la France, veillez à entrer les termes recherchés en langue anglaise pour obtenir un plus grand nombre de réponses.

Dans cette quatrième heure, vous allez faire connaissance avec plusieurs moteurs de recherche. Internet Explorer possède une fonction de recherche particulièrement pratique. Supposons que vous désiriez rechercher les sites qui parlent du tour de France, il suffit de taper le terme tour de France sans guillemets dans la barre d'adresse d'Internet Explorer. Le site Yahoo.fr est automatiquement appelé et le terme est copié dans la zone de recherche. Si vous désirez utiliser ce procédé pour effectuer des recherches sur un terme qui ne comporte aucun espace, faites précéder ce terme d'un point d'interrogation, par exemple, "?sport".

Les trois types de moteurs de recherche

Les sites de recherche sont de gigantesques bases de données alimentées en permanence par des robots qui parcourent le Web en quête de nouveautés. A titre d'information, sachez que plusieurs milliers de pages Web apparaissent tous les jours. Les données récupérées sont classées selon des critères propres à chaque site de recherche.

En fonction du site choisi, la recherche de données peut se faire selon l'une des trois méthodes suivantes :

- **Par répertoires.** Un répertoire contenant un ensemble de sujets d'ordre général est affiché. Vous cliquez sur l'un des sujets pour accéder aux sous-sujets qui le composent. Vous cliquez alors sur l'un des sous-sujets, et ainsi de suite jusqu'à obtenir le sujet qui vous intéresse.

- **Par sujets**. Entrez un ou plusieurs mots clés dans la zone de texte d'un formulaire, puis appuyez sur le bouton de recherche. Une liste de pages Web correspondantes vous est renvoyée.

- **A l'intérieur des pages Web**. Certains moteurs effectuent leurs recherches à l'intérieur des pages Web. Entrez un ou plusieurs mots clés dans la zone de texte d'un formulaire, puis appuyez sur le bouton de recherche. La liste de pages Web obtenue en retour est bien plus importante que pour les moteurs du deuxième type. Il faut donc bien cibler la recherche pour ne pas être débordé par un trop grand nombre d'informations.

Les deux premiers types de recherche sont les plus courants. Cependant, la recherche à l'intérieur des pages Web peut être efficace là où les deux premiers types de recherches ont échoué. Dans cette heure, nous allons vous montrer comment utiliser les trois types de recherches en raisonnant sur trois exemples.

Utilisation d'un moteur fonctionnant par répertoires

Yahoo! est un exemple typique des moteurs de recherche qui fonctionnent par répertoire. Lorsque vous vous connectez au site **http://www.yahoo.fr/**, la liste des répertoires apparaît au-dessous de la zone de texte Recherche (voir Figure 4.3).

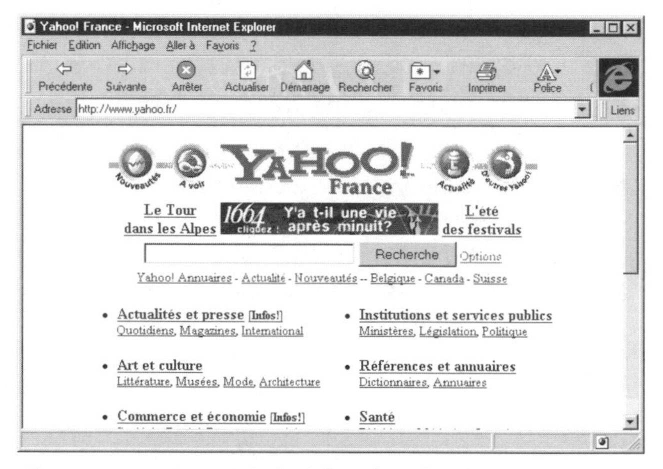

Figure 4.3 : L'écran principal de Yahoo.fr.

Supposons que vous vous intéressiez à la musique MIDI. Cliquez sur les liens Divertissement, Musique, Musique assistée par ordinateur puis MIDI. En quatre clics , vous avez obtenu une liste de sites français dédiés à la musique MIDI.

Si la langue anglaise n'est pas un barrage, connectez-vous au site américain de Yahoo! à l'adresse **http://www .Yahoo.com/**. Vous obtiendrez un nombre plus élevé de réponses.

Utilisation d'un moteur fonctionnant par sujets

Supposons que vous désiriez obtenir la dernière version du driver d'imprimante HP Laserjet 6MP. Pour trouver le driver, nous allons utiliser le moteur de recherche Yahoo! qui a l'avantage de pouvoir fonctionner par répertoires ou par sujets. Connectez-vous sur le site **http://www.Yahoo.fr**.

Sélectionnez la catégorie Informatique et multimédia, puis entrez le terme drivers dans la zone de texte. Yahoo! vous propose d'effectuer une recherche sur toute la base de données ou de limiter la recherche à la catégorie Informatique et multimédia. Sélectionnez la deuxième option puis appuyez sur Recherche. Après quelques instants, Yahoo! vous propose d'accéder à la liste des principaux drivers de matériels. Cliquez sur le lien correspondant pour accéder au site **http://www.alterego.fr/drivers.htm** (voir Figure 4.4).

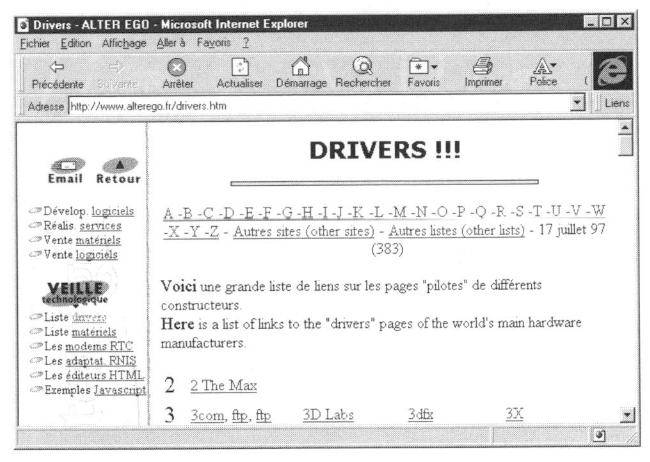

Figure 4.4 : Le site http://www.alterego.fr/drivers.htm.

Il suffit maintenant de sélectionner le constructeur HP (Hewlett Packard), le périphérique Imprimantes puis le type Laserjet pour accéder à une liste exhaustive de drivers pour imprimantes Laserjet.

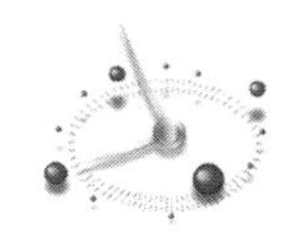

Pour télécharger l'un de ces drivers, cliquez sur le lien correspondant.

Utilisation d'un moteur fonctionnant par indexation du texte

Altavista est un excellent site de recherche qui indexe quelque 30 millions de pages Web ! Supposons que vous désiriez obtenir des informations sur les sites qui parlent du célèbre jeu "Duke Nukem". Connectez-vous sur le site **http://altavista.digital.com/**. Entrez le terme duke nukem entre guillemets dans la zone de texte et appuyez sur Submit (voir Figure 4.5). Altavista recense 9000 sites correspondant à la requête (de quoi occuper vos longues soirées d'hiver !).

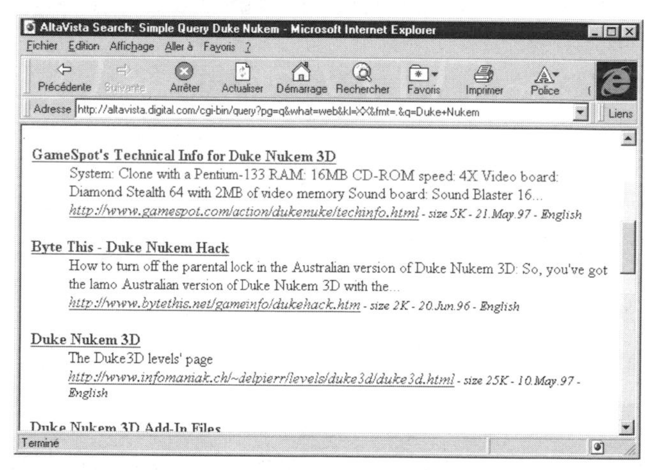

Figure 4.5 : Un extrait des 9000 sites dédiés au jeu Duke Nukem 3D.

Si vous devez effectuer une recherche sur deux ou plus de deux mots avec Altavista, placez un signe plus devant chaque mot (par exemple, dans +duke +nukem) ou encadrez l'expression à rechercher par des guillemets (par exemple, dans "duke nukem") pour demander une recherche inclusive et non exclusive. Il en découlera un moins grand nombre de réponses et une plus grande fiabilité des réponses.

Pour faciliter votre exploration, Altavista propose de regrouper les sites. Cliquez sur le lien Tables. Au bout de quelques instants, un tableau très explicite est affiché (voir Figure 4.6).

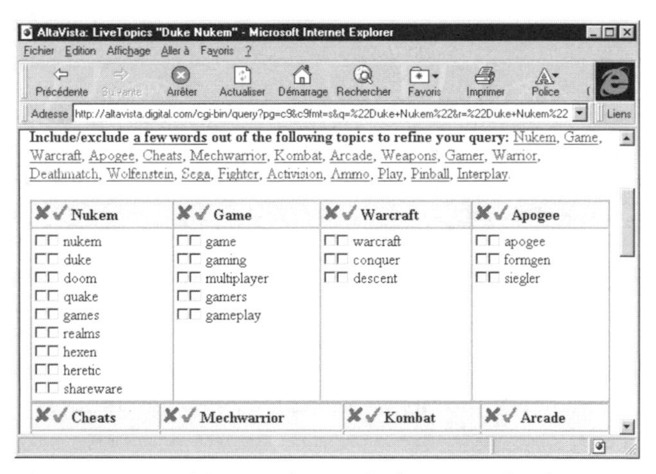

Figure 4.6 : Précisions sur le type de données recherchées.

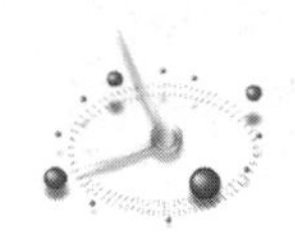

Vous pouvez :

- inclure un ou plusieurs mots clés dans la recherche en cochant les cases dans les colonnes "marque de sélection" ;
- exclure un ou plusieurs mots clés de la recherche en cochant les cases dans les colonnes "X".

La requête finale apparaît dans la zone de texte multiligne, dans la partie supérieure de la page. Appuyez sur Submit pour demander la liste des sites correspondant à la requête. En principe, le nombre de réponses devrait diminuer dans de larges proportions.

Les moteurs de recherche français

Chaque moteur de recherche a ses particularités. Plus vous connaîtrez le fonctionnement d'un moteur particulier, mieux vous saurez l'utiliser, et plus vos recherches seront efficaces.

Lorsque vous utilisez un moteur de recherche pour la première fois, essayez de trouver un lien vers le document d'aide qui donnera tous les détails utiles au sujet de son fonctionnement. Si vous comptez utiliser souvent ce moteur de recherche, imprimez le document d'aide avec la commande Imprimer dans le menu Fichier ou utilisez le raccourci clavier Ctrl-P (voir Figure 4.7).

Pour obtenir une liste de moteurs de recherche français, faites appel à Yahoo!. Connectez-vous sur le site **http://www.yahoo.fr** et entrez le terme moteurs de recherche dans la zone de texte. Une seule catégorie correspond à la

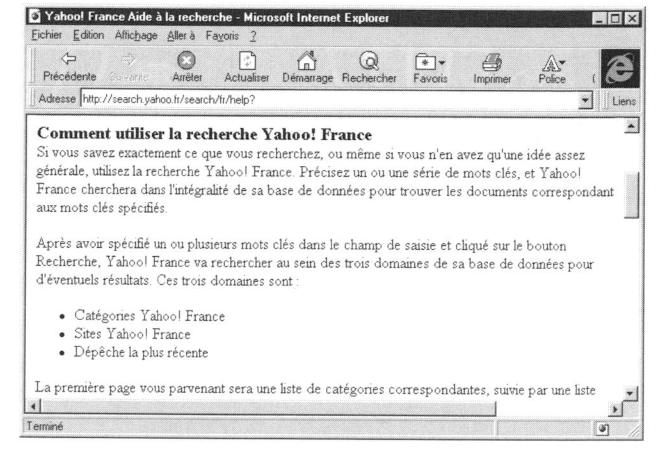

Figure 4.7 : Le document d'aide du site Yahoo.fr.

demande. Cliquez sur le lien pour afficher la liste des moteurs de recherche français recensés par Yahoo!.

Si vous préférez utiliser les moteurs de recherche américains, connectez-vous au site **http://www.yahoo.com/** et faites une recherche sur le terme search engine. Comme vous pouvez le constater, la liste des moteurs de recherche américains est fort conséquente.

Voici une liste non exhaustive de moteurs de recherche français dont le domaine d'action peut être limité à la France et aux pays francophones.

Yahoo.fr est un excellent site de recherche par répertoires et par sujets qui couvre les sites Web français et francophones (voir Figure 4.8).

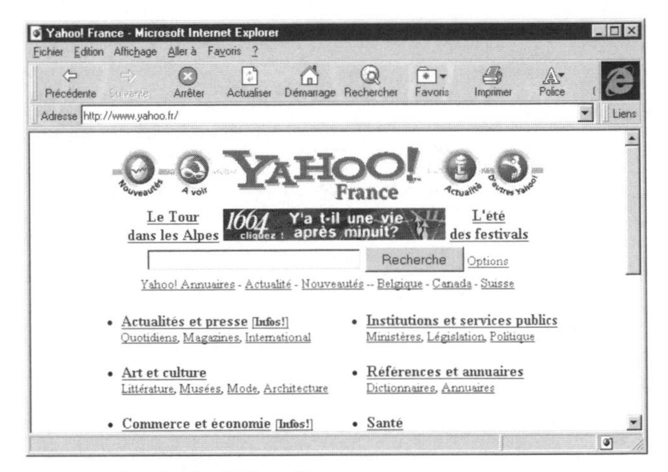

Figure 4.8 : Le site Yahoo.fr.

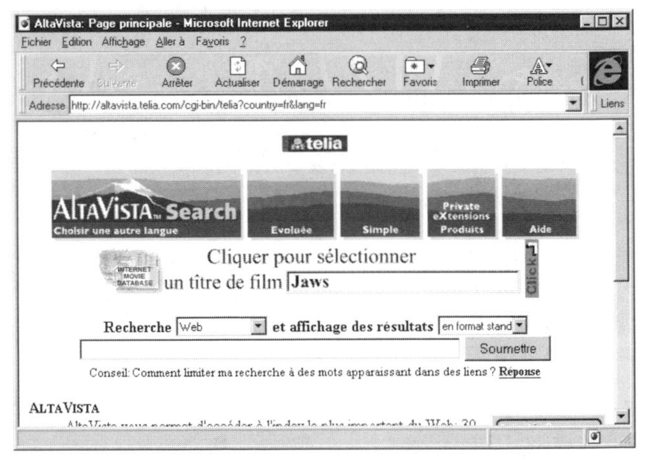

Figure 4.9 : Altavista en français.

L'incontournable Altavista, à l'initiative de la société Digital, est un des moteurs de recherche les plus complets. Il permet de rechercher des informations dans les sites Web et dans les groupes de nouvelles. Ses concepteurs ont eu la bonne idée de concevoir une interface française à l'adresse **http://altavista.telia.com/cgi-bin/telia?country=fr&lang=fr** (voir Figure 4.9).

Le moteur Echo permet de rechercher des documents, des programmes et des adresses e-mail en France et dans les pays francophones.

Ecila est un excellent moteur de recherche qui indexe le contenu des pages Web françaises. Consultez la rubrique Nouveautés pour vous tenir informé de l'actualité Internet française.

Infoseek France est un site de recherche par répertoires et par sujets qui organise sa recherche par pays. Vous pouvez limiter la recherche à la France, la Belgique, la Suède, la Suisse, etc.

WebSeer est un moteur de recherche d'images par mots clés (voir Figure 4.10).

Les autres moteurs de recherche

Yahoo! est tellement connu qu'il est inutile de le présenter. Parfois surchargé, cet excellent site de recherche américain n'en demeure pas moins une référence. Les recherches se font par répertoires et/ou par sujets (voir Figure 4.11).

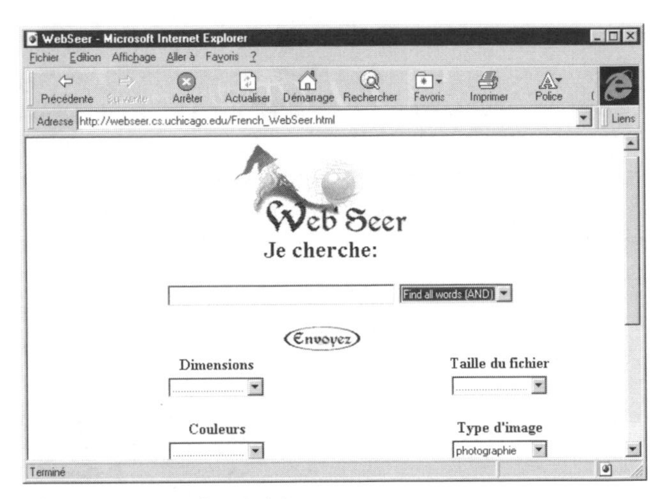

Figure 4.10 : Le site WebSeer.

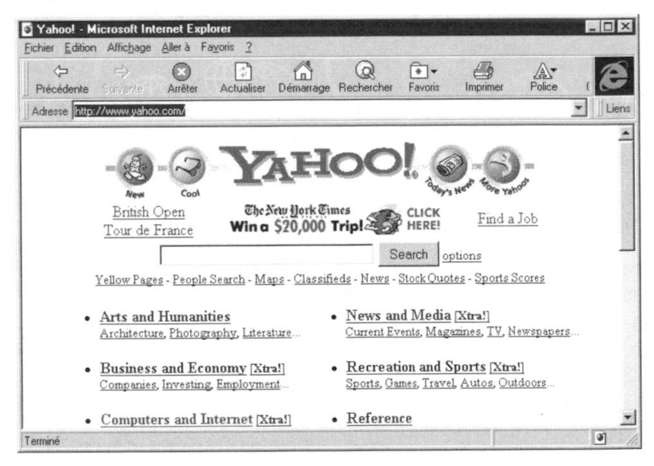

Figure 4.11 : Le site Yahoo.com.

Lycos est un site de recherche qui fonctionne par répertoires ou par sujets. Le seul reproche que l'on puisse trouver à son sujet est sa relative lenteur.

La version américaine du site InfoSeek se trouve à l'adresse **http://www.infoseek.com**. La recherche s'effectue par répertoires et/ou par sujets.

*Si vous tapez un mot dans la zone Adresse, Internet Explorer tente de repérer un site portant ce nom en lui affectant successivement les préfixes et suffixes courants. Si, par exemple, vous tapez le mot "ireland", le site **http://www.ireland.com/** sera automatiquement localisé et ouvert.*

Si vous tapez deux fois le même mot dans la zone Adresse d'Internet Explorer, le système Autosearch tente de repérer automatiquement les sites en rapport avec le terme entré (voir Figure 4.12).

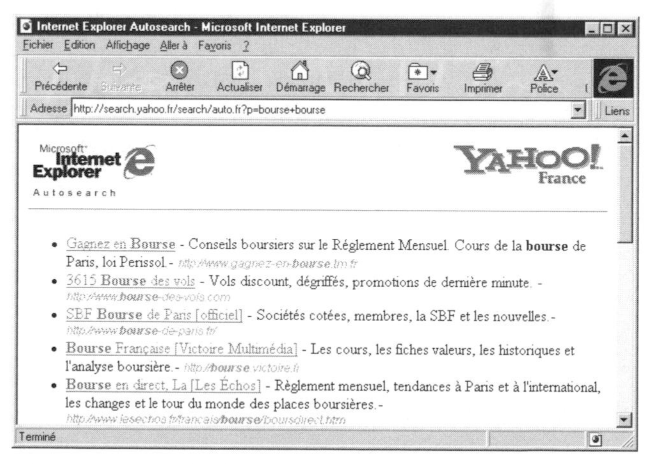

Figure 4.12 : Recherche des sites en rapport avec la Bourse.

Recherches FTP

Plusieurs sites de recherches sont aussi dédiés à FTP, la bibliothèque de fichiers d'Internet. Ces sites seront abordés dans la septième heure de cet ouvrage.

Les Favoris

Si vous utilisez souvent les mêmes sites de recherche, pourquoi ne pas mémoriser leur adresse dans les Favoris. Connectez-vous à un de vos sites de recherche préférés et lancez la commande Ajouter aux Favoris dans le menu Favoris. Appuyez sur Créer pour élargir la boîte de dialogue Ajouter aux Favoris et sélectionnez le sous-dossier dans lequel vous souhaitez placer l'adresse du site. Si nécessaire, vous pouvez appuyer sur Nouveau pour créer un nouveau sous-dossier.

Les Favoris sont accessibles depuis le bouton Démarrer. Appuyez sur Démarrer, puis sélectionnez l'une des entrées sous le label Favoris. Si la connexion Internet est établie, le site visé est immédiatement contacté. Dans le cas contraire, la boîte de dialogue Connexion à est préalablement affichée pour établir une liaison avec le fournisseur d'accès.

Heure 5

Personnaliser le fonctionnement de l'Explorateur

Au sommaire de cette heure

- Accélérer l'accès aux données et modifier l'affichage
- Paramétrer la connexion
- Page de démarrage, page de recherche et historique
- Courrier, Nouvelles et visionneuses
- Gestionnaire d'accès, certificats et contenu actif
- Fichiers temporaires et autres options avancées

Les réglages par défaut effectués par Microsoft répondent en général aux attentes des utilisateurs d'Internet Explorer.

Cette heure va néanmoins vous montrer que, dans certains cas, la modification d'une option ou d'un groupe d'options peut s'avérer intéressante.

Accélérer l'accès aux données et modifier l'affichage

Tous les réglages d'Internet Explorer se font dans la boîte de dialogue Options, qui est affichée par la commande Options dans le menu Affichage.

L'onglet Général est utilisé pour modifier l'affichage dans l'Explorateur (voir Figure 5.1).

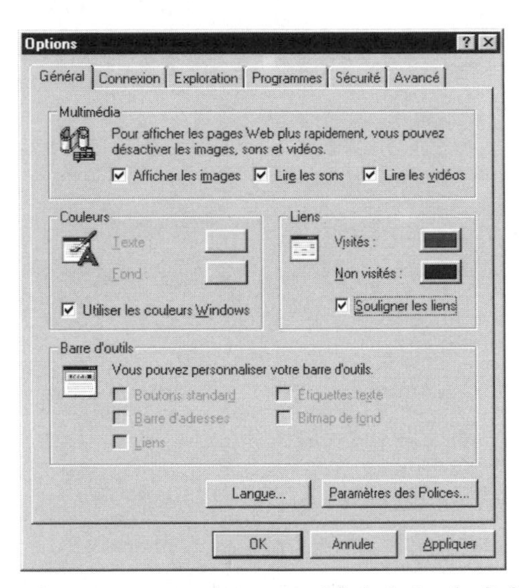

Figure 5.1 : L'onglet Général de la boîte de dialogue Options.

Les trois cases à activer du groupe d'options Multimédia indiquent si les images, les sons et les vidéos présents sur les pages Web doivent être lus. Ces trois types de données augmentent le temps de lecture dans de larges proportions. S'il est vrai que les images sont un plus parfois indispensable, les sons et les vidéos sont tellement longs à charger que l'attente peut vite devenir exaspérante. La lecture des images, des sons et des vidéos est validée par défaut. Nous vous conseillons de désactiver la lecture des sons et des vidéos. Vous pourrez toujours charger "manuellement" un son ou une vidéo si le besoin s'en fait sentir. Quant aux images, c'est à vous de décider. Si votre modem a une vitesse d'au moins 28 800 bauds, et si votre fournisseur d'accès est performant, mieux vaut valider l'affichage des images. Si, par contre, la lenteur de l'affichage vous désespère, désactivez leur affichage et vous serez surpris par la nouvelle vitesse d'accès aux données.

Le groupe d'options Couleurs règle la couleur d'affichage du texte et de l'arrière-plan. Si la case Utiliser les couleurs Windows est activée, le texte est affiché par défaut en noir sur fond gris. Vous pouvez opter pour d'autres couleurs en décochant cette case. Appuyez alors sur les boutons Texte et Fond pour définir la couleur du texte et de l'arrière-plan.

Le groupe d'options Liens définit la couleur des liens hypertexte visités et non visités. Si nécessaire, appuyez sur les boutons Visités et Non visités pour modifier les couleurs par défaut. Pour faciliter leur repérage, les liens hypertexte sont soulignés par défaut. Si vous le souhaitez, désactivez la case Souligner les liens pour supprimer leur soulignement.

Le groupe d'options Barre d'outils définit les barres d'outils qui sont affichées par défaut au lancement d'Internet Explorer.

Enfin, le bouton Paramètres des Polices permet de définir les polices à utiliser ainsi que la taille d'affichage du texte (voir Figure 5.2).

Figure 5.2 : Définition des polices et de la taille des caractères par défaut.

PARAMÉTRER LA CONNEXION

Si la boîte de dialogue Options n'est pas affichée, lancez la commande Options dans le menu Affichage.

L'onglet Connexion permet de paramétrer la connexion avec le fournisseur d'accès (voir Figure 5.3).

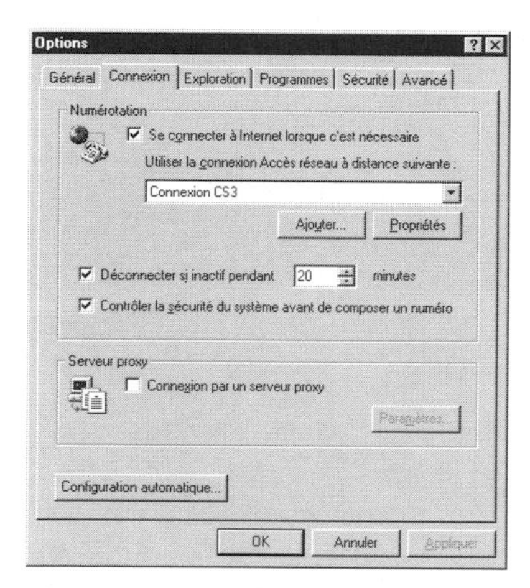

Figure 5.3 : L'onglet Connexion de la boîte de dialogue Options.

La case Se connecter à l'Internet lorsque c'est nécessaire est cochée par défaut. La boîte de dialogue Connexion à sera affichée chaque fois que vous tenterez d'accéder à des données qui ne se trouvent pas dans le cache disque (voir Figure 5.4).

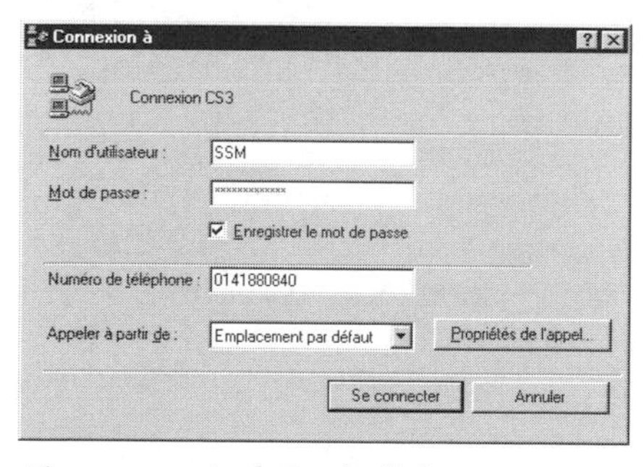

Figure 5.4 : La boîte de dialogue Connexion à.

Si la case Enregistrer le mot de passe est activée, il suffira d'appuyer sur Se connecter pour établir la liaison. Dans le cas contraire, vous devrez saisir votre mot de passe avant d'appuyer sur Se connecter.

La liste déroulante Utiliser la connexion Accès réseau à distance suivante détermine la connexion à utiliser si plusieurs connexions ont été définies. Reportez-vous à l'Heure 2 pour avoir de plus amples informations sur la connexion réseau.

La case Déconnecter si inactif pendant xxx minutes est activée par défaut. Si vous oubliez de clôturer la connexion à l'heure du déjeuner ou pendant une réunion, la déconnexion sera automatique au bout d'un certain temps d'inutilisation du clavier.

Le groupe d'options Serveur proxy ne concerne que les ordinateurs qui se connectent à l'Internet via un réseau local d'entreprise. Si tel est le cas, certaines pages Web et fichiers sont peut-être accessibles dans le réseau local (pour des raisons de sécurité et/ou de vitesse d'accès) via un serveur proxy. Renseignez-vous auprès de la personne responsable du réseau local. Dans l'affirmative, activez la case Connexion par un serveur proxy et appuyez sur Paramètres pour définir les options du serveur.

Enfin, le bouton Configuration automatique permet de désigner un fichier local ou un URL pour paramétrer automatiquement Internet Explorer. Si vous utilisez Internet Explorer dans votre société, renseignez-vous auprès de l'administrateur réseau pour savoir si un tel fichier ou URL existe.

Page de démarrage, page de recherche et historique

Si la boîte de dialogue Options n'est pas affichée, lancez la commande Options dans le menu Affichage.

L'onglet Exploration (voir Figure 5.5) permet de paramétrer l'historique et de définir l'adresse :

- de la page de démarrage ;
- de la page de recherche ;
- des cinq boutons de l'onglet Liens.

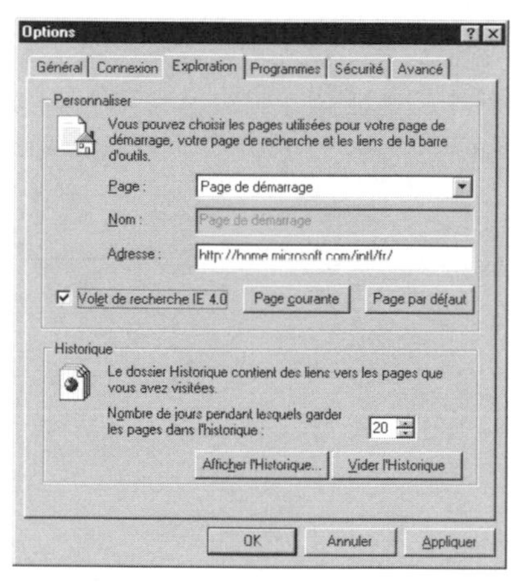

Figure 5.5 : L'onglet Exploration de la boîte de dialogue Options.

Dans le groupe d'options Personnaliser, la liste déroulante Page comporte sept entrées : Page de démarrage, Page de recherche et Lien rapide #1 à Lien rapide #5. La zone de

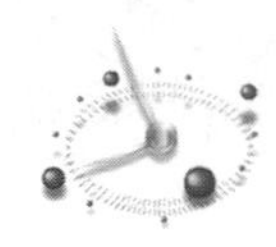

texte Adresse détermine l'adresse URL de l'entrée sélectionnée dans la liste déroulante Page.

La page de démarrage est la page affichée lorsque vous lancez l'Explorateur. Si la page par défaut ne vous convient pas, vous pouvez opter pour l'URL d'une autre page Web ou pour une page HTML stockée sur votre disque dur ou sur un des disques durs partageables du réseau local. Dans l'exemple de la Figure 5.6, la page de démarrage a pour nom "mapage.htm". Elle se trouve sur le disque C: de l'ordinateur.

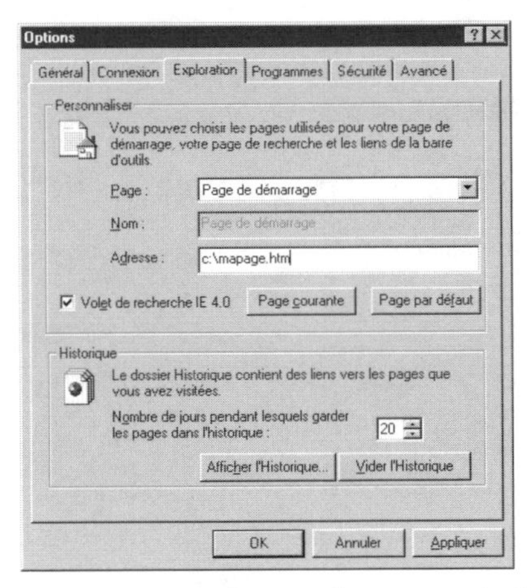

Figure 5.6 : Définition d'une page de démarrage locale.

L'entrée Page de recherche correspond au site de recherche Web accédé lorsque vous appuyez sur Recherche de la barre d'outils de l'Explorateur.

En modifiant la zone de texte Adresse, vous pouvez opter pour un autre site de recherche. Dans l'exemple de la Figure 5.7, le site de recherche devient Yahoo.fr.

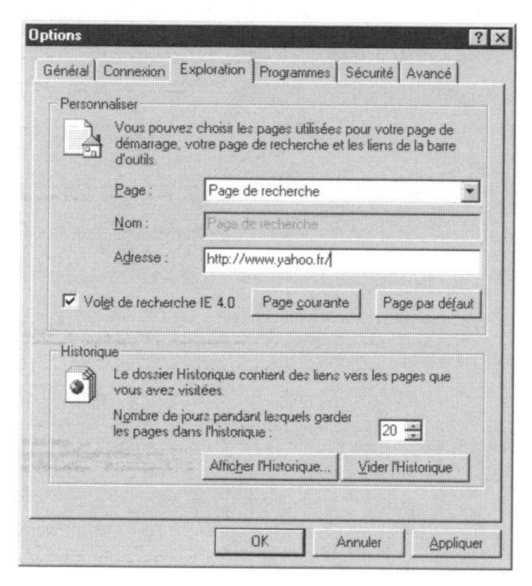

Figure 5.7 : Modification de la page de recherche.

Les entrées Lien rapide #1 à Lien rapide #5 correspondent aux cinq boutons affichés dans la barre Liens. Rappelons que cette barre peut être affichée :

- Dans Internet Explorer en appuyant sur Liens.
- Dans la barre des tâches. Pour la faire apparaître, cliquez à droite dans la barre des tâches et sélectionnez Barres d'outils/Liens dans le menu contextuel.

Lorsque vous sélectionnez une des entrées Lien rapide dans la liste déroulante Page, la zone de texte Nom

devient accessible. Vous pouvez donc modifier le nom des liens rapides.

Le bouton Page courante affecte la page en cours de visualisation à l'entrée sélectionnée dans la liste déroulante Page, et le bouton Page par défaut redonne la valeur par défaut à cette entrée.

Le groupe d'options Historique permet de gérer le dossier Historique qui contient les données correspondantes aux pages visitées récemment. La durée de vie maximum des fichiers stockés dans l'historique est réglée dans la zone de texte Nombre de jours pendant lesquels garder les pages dans l'historique.

Après confirmation, le bouton Vider l'historique efface tous les éléments contenus dans le dossier Historique.

Le bouton Afficher l'Historique donne la liste de tous les fichiers contenus dans l'historique (voir Figure 5.8).

Historique

Fichier Edition Affichage Aller à Favoris Outils ?

Précédente Suivante Haut Couper Copier Coller Annuler Supprimer Propriét

Adresse C:\W95\Historique Liens

Titre	Adresse Internet	Dernière visite le	Dernière mise à jo...
Recherche.htm	C:\Recherche.htm	22/07/97 10:49	22/07/97 10:49
Bienvenue sur Internet ! - Micro...	http://www.fr.msn.com/introie.asp	22/07/97 08:53	22/07/97 08:53
default2.htm	http://www.microsoft.com/france...	22/07/97 08:53	22/07/97 08:53
MSN Custom Start Page	http://home.microsoft.com/intl/fr	22/07/97 08:53	22/07/97 08:53
Yahoo! UK Search Options	http://search.yahoo.fr	21/07/97 21:22	21/07/97 21:22
Yahoo!	http://www.yahoo.com	21/07/97 21:20	21/07/97 21:20
Yahoo! France	http://www.yahoo.fr	21/07/97 15:50	21/07/97 15:50
Four11 Directory Services	http://www.four11.com	21/07/97 15:35	21/07/97 15:35
MSN-France	http://www.fr.msn.com/msn.asp?...	21/07/97 15:34	21/07/97 15:34
menu_v.asp	http://www.fr.msn.com/explorer/...	21/07/97 15:33	21/07/97 15:33
pub.asp?pub=	http://www.fr.msn.com/pub.asp?...	21/07/97 15:33	21/07/97 15:33
cd_gratuit.asp	http://www.fr.msn.com/cd_gratui...	21/07/97 15:33	21/07/97 15:33
explorer.asp	http://www.fr.msn.com/explorer/...	21/07/97 15:33	21/07/97 15:33

276 objet(s)

Figure 5.8 : Les fichiers de l'historique.

Pour visualiser une des pages HTML de l'historique, il suffit de cliquer dessus. Vous pouvez aussi supprimer un ou plusieurs éléments de l'historique. Sélectionnez les éléments à supprimer, en maintenant enfoncée la touche Majuscule s'ils se trouvent côte à côte ou la touche Contrôle dans le cas contraire. Faites un clic droit sur un des éléments de la sélection et choisissez Supprimer l'élément de l'historique dans le menu contextuel.

Courrier, Nouvelles et Visionneuses

Si la boîte de dialogue Options n'est pas affichée, lancez la commande Options dans le menu Affichage.

L'onglet Programmes permet de choisir les programmes à utiliser pour le courrier et les nouvelles et de définir des associations entre extensions de fichiers et programmes de visualisation (voir Figure 5.9).

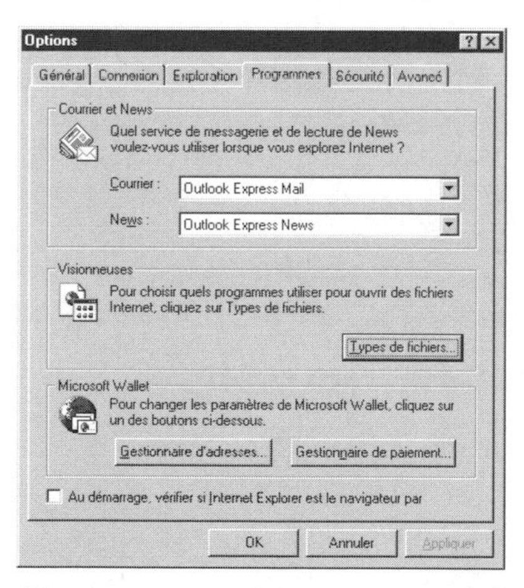

Figure 5.9 : L'onglet Programmes de la boîte de dialogue Options.

Le choix des programmes de messagerie et de groupes de nouvelles à utiliser se fait dans le groupe d'options Courrier et Nouvelles.

Le groupe d'options Visionneuses met en relation les extensions des fichiers et les programmes correspondants. Appuyez sur Types de fichiers pour afficher les relations existantes et/ou pour définir de nouvelles relations. La boîte de dialogue Types de fichiers est affichée (voir Figure 5.10).

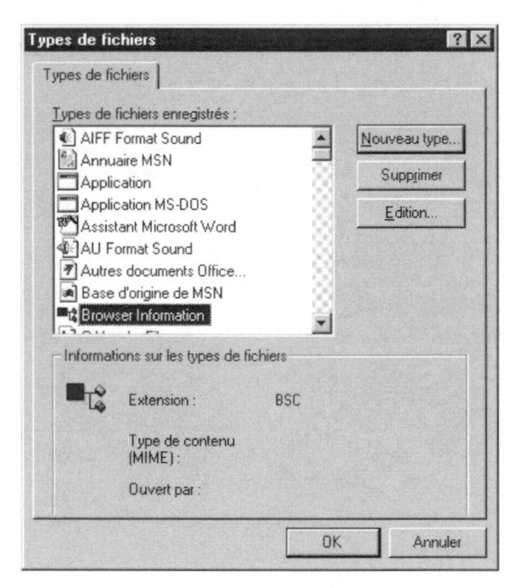

Figure 5.10 : La boîte de dialogue Types de fichiers.

Cette boîte de dialogue dresse la liste de toutes les extensions de fichiers reconnues. Lorsqu'un fichier d'extension connue est transféré sur l'ordinateur, le programme associé (appelé visionneuse) est utilisé pour l'afficher.

Si vous cliquez sur une des entrées de la liste Types de fichiers enregistrés, la partie inférieure de la boîte de dialogue indique le programme utilisé pour interpréter ce type de fichier.

En appuyant sur Edition, vous pouvez modifier le paramétrage de la visionneuse. Par exemple, les fichiers de type "Microsoft Word" sont ouverts avec l'application Microsoft Word (voir Figure 5.11).

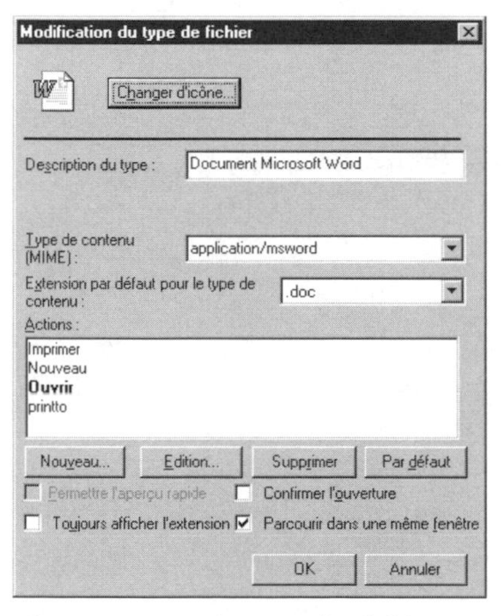

Figure 5.11 : Traitement des fichiers MS-Word.

Dans la liste des actions, le mot qui apparaît en gras correspond à l'action qui sera accomplie par défaut suite à la réception d'un fichier d'extension .DOC. Ici, le fichier sera ouvert dans l'application Microsoft Word.

La définition d'une nouvelle relation extension/programme dépasse le cadre de cet ouvrage.

GESTIONNAIRE D'ACCÈS, CERTIFICATS ET CONTENU ACTIF

Si la boîte de dialogue Options n'est pas affichée, lancez la commande Options dans le menu Affichage.

L'onglet Sécurité contient de nombreuses options qui interviennent au niveau de la sécurité des transactions (voir Figure 5.12).

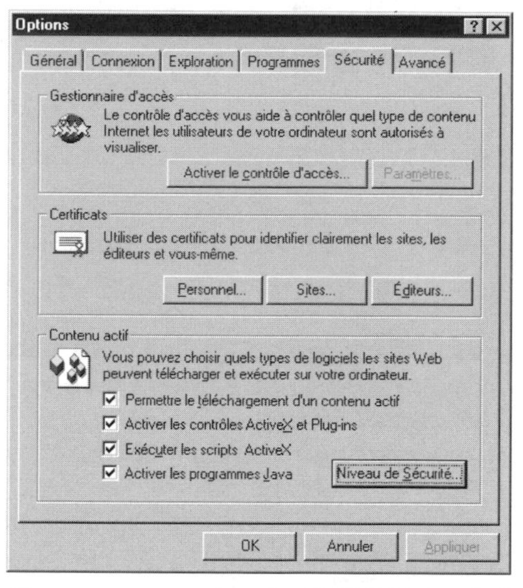

Figure 5.12 : L'onglet Sécurité de la boîte de dialogue Options.

Le groupe d'options Gestionnaire d'accès est destiné à éviter la visualisation de sites contenant des termes grossiers, des images pornographiques, des incitations à la violence, des propos racistes, etc. Vous l'aurez compris, cette précaution est avant tout destinée à protéger le plus jeune public de propos dont ils ne peuvent mesurer les implications. Pour en savoir plus, connectez-voussur **http://www.rsac.org/**.

Pour mettre en place un contrôle d'accès, appuyez sur Activer le contrôle d'accès. Après avoir défini un mot de passe, la boîte de dialogue Gestionnaire d'accès est affichée (voir Figure 5.13).

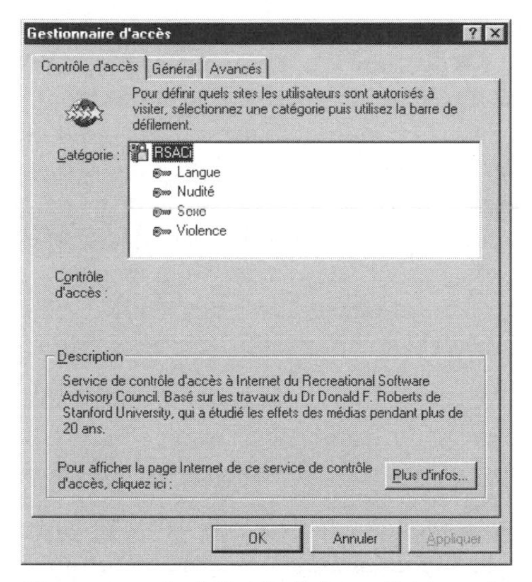

Figure 5.13 : La boîte de dialogue Gestionnaire d'accès.

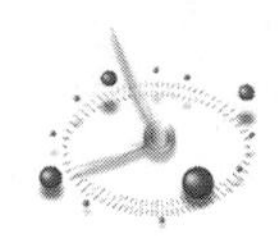

En sélectionnant l'une des quatre entrées de la zone de liste Catégories, vous pouvez régler le niveau verbal, de nudité, de sexe ou de violence permis.

Tout (ou presque) peut s'acheter et se vendre sur l'Internet. Mais dans ce cas, comment sécuriser la transmission d'informations confidentielles, telles, par exemple, le numéro d'une carte de crédit ? Et comment faire confiance à une société dont on n'a jamais entendu parler ?

Pour tenter de répondre à ces deux questions, vous pouvez faire appel aux certificats d'authentification. Un certificat est un document spécial utilisé pour authentifier un site, une société ou une personne. Les certificats sont délivrés par des fournisseurs de certificats agrémentés. Ils garantissent donc le sérieux des personnes qui les possèdent. Lorsque vous vous connectez à un site sécurisé (**https://** et non **http://**), son certificat est automatiquement envoyé à l'Explorateur. Ce dernier juge le degré de confiance qu'il peut accorder au certificat. Il décide alors d'afficher ou de ne pas afficher les données du site. Seuls les sites dont le certificat d'authentification a été rédigé par certains organismes seront acceptés. La liste de ces organismes est affichée lorsque vous appuyez sur Sites du groupe d'options Certificats (voir Figure 5.14).

Le groupe d'options Contenu actif détermine le type des logiciels qui peuvent être téléchargés sur votre ordinateur.

Les pages Web a contenu actif (Dynamic HTML) sont en mesure de se modifier dynamiquement sans accès au site qui les a générées. Par exemple, en cliquant sur un bouton radio, les options d'un formulaire pourront être immédiatement modifiées, sans aucun accès au site distant.

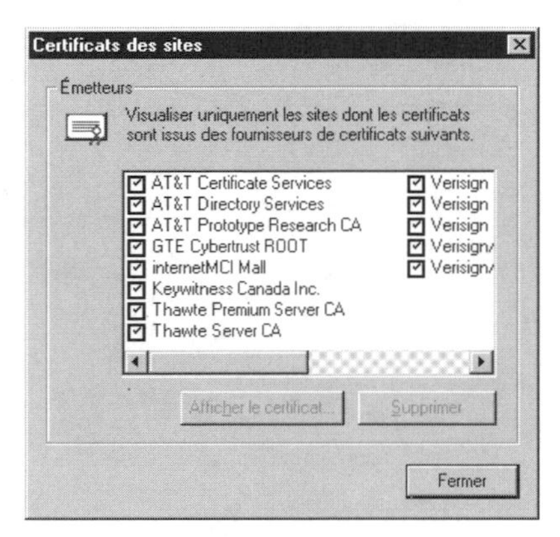

Figure 5.14 : Liste des organismes d'authentification jugés dignes de confiance.

Les contrôles ActiveX, les Plug-in, les scripts ActiveX et les programmes Java sont des programmes qui introduisent un peu de vie en animant les pages Web. Si les animations vous incommodent, désactivez les cases Activer les contrôles ActiveX et Plug-in, Exécuter les Scripts ActiveX et Activer les programmes Java.

Pour terminer, le bouton Niveau de sécurité détermine la façon dont les éventuels problèmes de sécurité sont notifiés (voir Figure 5.15).

En choisissant le niveau de sécurité Haut, vous êtes averti lorsque certaines données peuvent présenter un problème de sécurité, et ces données ne sont pas transférées sur votre ordinateur.

Au niveau de sécurité Normal, les données potentiellement dangereuses sont signalées. Vous pouvez choisir de les rejeter ou de les afficher.

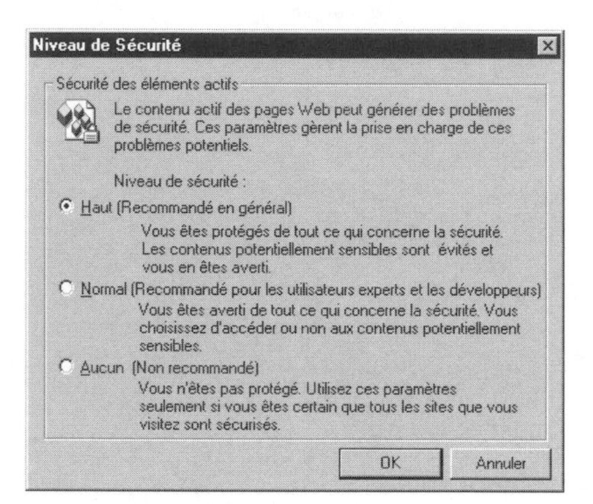

Figure 5.15 : Choix d'un niveau de sécurité.

Enfin, le niveau de sécurité Aucun affiche toutes les données envoyées par les sites Web, que celles-ci présentent des problèmes de sécurité ou non.

Fichiers temporaires et autres options avancées

Si la boîte de dialogue Options n'est pas affichée, lancez la commande Options dans le menu Affichage.

L'onglet Avancé gère le fonctionnement du cache disque et de nombreuses autres options inclassables dans les autres onglets de la boîte de dialogue Options.

Lorsque vous vous connectez à un site Web, les informations textuelles et les images qui le composent sont mémorisées dans une mémoire temporaire appelée "cache disque". Cette mémoire a une taille maximale définie dans les options de l'Explorateur. Si cette taille est atteinte, les fichiers les plus anciens sont effacés au profit des plus récents. D'autre part, les fichiers ne subsistent dans le cache disque que pendant une durée déterminée, aussi définie dans les options de l'Explorateur. Pour avoir toutes les informations nécessaires au paramétrage du cache disque reportez-vous à la troisième heure de cet ouvrage.

Heure 6

Le courrier électronique et la messagerie Outlook Express Mail

Au sommaire de cette heure

- Accéder à la messagerie Outlook Express Mail
- Paramétrer le module de messagerie d'Outlook Express
- La fenêtre d'Outlook Express Mail
- Rédiger et envoyer des messages avec Outlook Express

- Le format des messages envoyés par Outlook Express Mail
- Lire votre courrier
- Le carnet d'adresses d'Internet Explorer

La suite Internet Explorer 4.0 est fournie avec un programme de gestion du courrier électronique fort complet : Outlook Express Mail. Dans cette heure, vous allez apprendre à paramétrer et à bien utiliser ce programme pour rédiger vos courriers, télécharger les courriers qui vous sont destinés et les visualiser.

ACCÉDER À LA MESSAGERIE OUTLOOK EXPRESS MAIL

Plusieurs méthodes permettent d'accéder au module de messagerie Outlook Express Mail depuis Internet Explorer.

- Pour afficher la fenêtre Outlook Express, lancez la commande Courrier dans le menu Aller à.
- Si vous désirez lire votre courrier, cliquez sur Courrier dans la barre d'outils et sélectionnez la commande Lire le courrier dans le menu contextuel.
- Si vous désirez rédiger un nouveau message, cliquez sur Courrier dans la barre d'outils et sélectionnez la commande Nouveau message dans le menu contextuel.
- Si vous désirez envoyer à un correspondant l'adresse de la page Web en cours de consultation, cliquez sur Courrier dans la barre d'outils et sélectionnez la commande Envoyer un lien dans le menu contextuel.

- Enfin, si vous désirez envoyer à un correspondant le contenu de la page Web courante, cliquez sur Courrier dans la barre d'outils et sélectionnez la commande Envoyer le document en cours dans le menu contextuel.

Outlook Express Mail est aussi accessible à partir du bouton Démarrer et de la barre des tâches de Windows.

Avec le bouton Démarrer : Sélectionnez Programmes puis Outlook Express Mail.

Avec la barre des tâches : Faites un clic droit sur un endroit inoccupé de la barre des tâches, puis sélectionnez Barres d'outils/Lancement rapide. La barre des tâches contient maintenant les icônes des applications Internet Explorer et Outlook Express Mail.

Paramétrer le module de messagerie d'Outlook Express

Lorsque vous lancez pour la première fois la commande Courrier dans le menu Aller à ou l'une des commandes associées au bouton Courrier, l'assistant de connexion Internet s'active (voir Figure 6.1).

Entrez votre nom ou un pseudonyme dans la zone de texte Nom du compte Internet Mail, puis appuyez sur Suivant. Une deuxième boîte de dialogue est affichée.

Entrez le nom que vous voulez voir apparaître sous le champ De des messages que vous rédigerez, puis appuyez sur Suivant. Dans la troisième boîte de dialogue de l'assistant, vous devez entrer votre adresse électronique.

Figure 6.1 : La première boîte de dialogue de l'assistant de connexion Internet.

Un nouveau clic sur Suivant et vous devez indiquer le nom du serveur pour la remise du courrier et pour l'envoi du courrier. Ces informations doivent vous être communiquées par votre fournisseur d'accès (voir Figure 6.2).

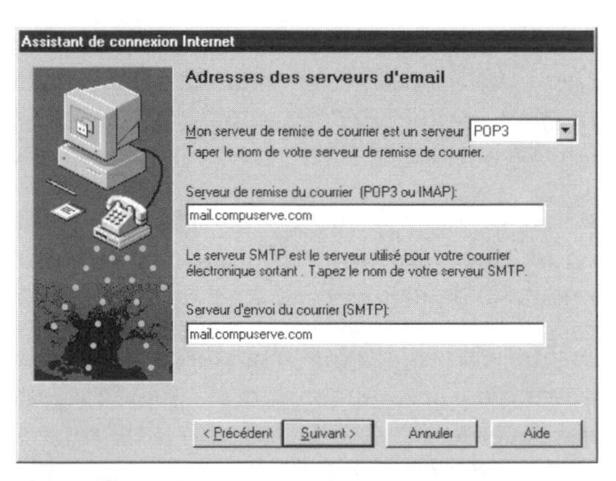

Figure 6.2 : Spécification des adresses des serveurs e-mail.

A la mise sous presse de cet ouvrage, Compuserve ne possède toujours aucun serveur POP3. En d'autres termes, vous ne pourrez pas utiliser Outlook Express pour lire votre courrier sur Compuserve. Pour ce faire, vous devrez obligatoirement passer par le programme de courrier propriétaire.

Un nouvel appui sur Suivant, et vous devez spécifier votre adresse e-mail ainsi que votre mot de passe.

Un nouveau clic sur Suivant et vous devez indiquer si la connexion Internet se fait à travers une ligne téléphonique ou un réseau local. Dans le premier cas, précisez le nom de la connexion d'accès à distance à utiliser puis appuyez sur Terminer pour achever la configuration et accéder (enfin !) à la fenêtre d'Outlook Express.

Le paramétrage de la connexion sur le serveur de courrier peut être modifié depuis Outlook Express grâce à la commande Comptes dans le menu Outils. Sélectionnez une des entrées dans la boîte de dialogue Comptes Internet puis appuyez sur Propriétés pour accéder aux paramètres de la connexion (voir Figure 6.3).

Peut-être avez-vous remarqué le bouton Ajouter dans la boîte de dialogue Comptes Internet. Comme ce bouton le laisse supposer, il est possible de définir plusieurs comptes Internet, et ainsi, de centraliser dans un seul client de messagerie les messages de toutes vos boîtes à lettres. Le cas échéant, la commande de lecture des messages (Envoyer et recevoir dans le menu Outils) établit tour à tour les liaisons avec les différents comptes Internet et rapatrie les éventuels messages de leur boîte à lettres.

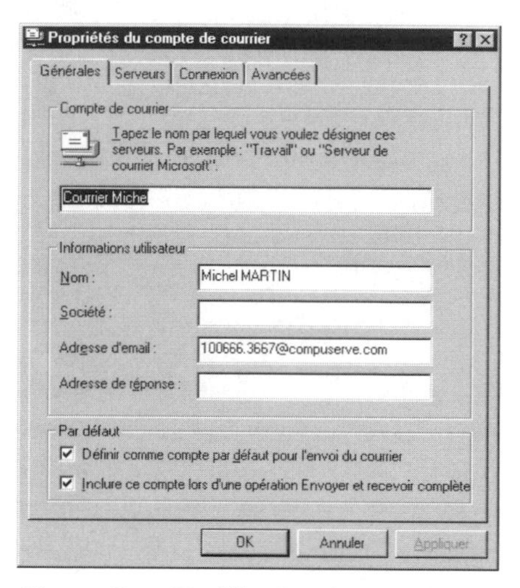

Figure 6.3 : Modification du paramétrage de la connexion.

La fenêtre d'Outlook Express

Outlook Express est composé :

- d'une barre de menus ;
- d'une barre d'outils ;
- de deux volets qui permettent d'accéder simplement au courrier électronique et aux groupes de nouvelles (voir Figure 6.4).

Lorsque l'entrée Outlook Express est sélectionnée dans le volet gauche, le volet droit permet de lire le courrier, de lire les nouvelles ou de composer un nouveau courrier.

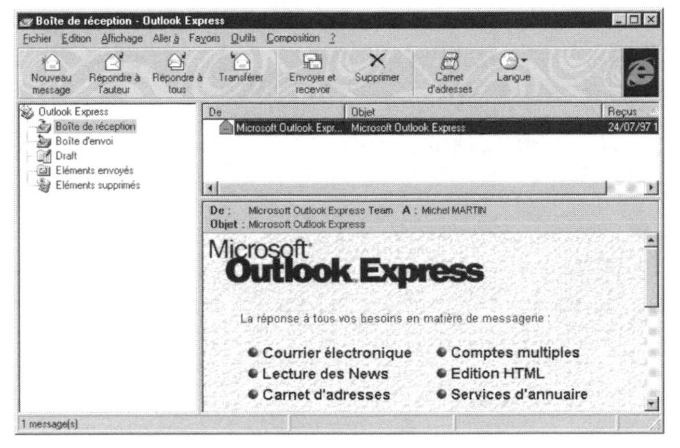

Figure 6.4 : La fenêtre d'Outlook Express.

Vous pouvez aussi cliquer sur l'entrée :

- **Boîte de réception.** Pour accéder aux courriers reçus.
- **Boîte d'envoi.** Pour répertorier les courriers en attente d'émission.
- **Draft.** Pour saisir de nouveaux courriers sans les placer dans la boîte d'envoi.
- **Eléments envoyés.** Pour lister les courriers qui ont été envoyés.
- **Eléments supprimés.** Pour visualiser les courriers qui ont été mis à la corbeille.

Remarquez que lorsque vous cliquez sur les entrées du volet gauche, les éléments affichés dans la barre d'outils sont modifiés et s'adaptent au travail en cours.

Si vous sélectionnez par exemple Outlook Express dans la liste, la barre d'outils permet de :

1. Vous connecter chez votre fournisseur d'accès afin de lire le courrier qui vous est destiné : bouton Numéroter.

2. Composer un nouveau message : bouton Nouveau message.

3. Envoyer les messages qui se trouvent dans la boîte d'envoi et de recevoir les messages qui vous sont destinés : bouton Envoyer et recevoir.

4. Accéder à votre carnet d'adresses afin de retrouver l'adresse électronique d'un correspondant : bouton Carnet d'adresses.

Si vous sélectionnez Boîte de réception dans l'onglet gauche, le bouton Numéroter est remplacé par les boutons suivants (voir Figure 6.5) :

- **Nouveau message.** Pour rédiger un nouveau message.
- **Répondre à l'auteur.** Pour rédiger une réponse à l'auteur d'un message.
- **Répondre à tous.** Pour rédiger une réponse à tous les messages qui vous sont destinés.
- **Transférer.** Pour communiquer un de vos messages à une autre adresse électronique.
- **Supprimer.** Pour supprimer les messages sélectionnés.

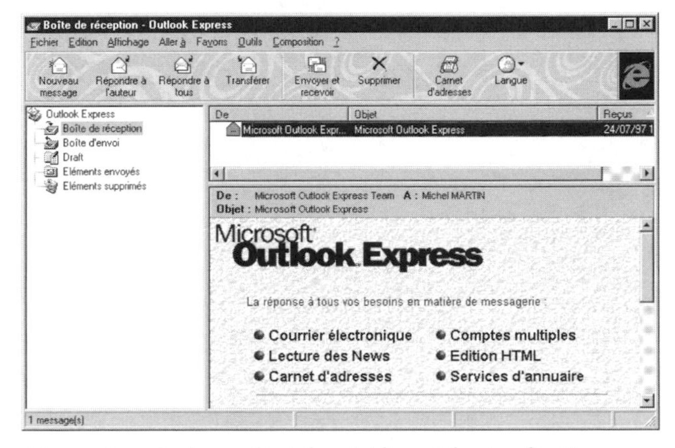

Figure 6.5 : La barre d'outils spécifique à la visualisation des messages reçus.

Rédiger et envoyer des messages avec Outlook Express

Pour rédiger un nouveau message, le plus simple consiste à cliquer sur Courrier dans la barre d'outils d'Internet Explorer et à sélectionner Nouveau message dans le menu contextuel. Cette action provoque l'affichage de la fenêtre Nouveau message.

Si vous le désirez, vous pouvez aussi lancer la commande Courrier dans le menu Aller à d'Internet Explorer pour afficher la fenêtre de l'application. Appuyez alors sur Nouveau message pour créer un nouveau message.

Quelle que soit la méthode utilisée, une fenêtre intitulée Nouveau message est affichée (voir Figure 6.6).

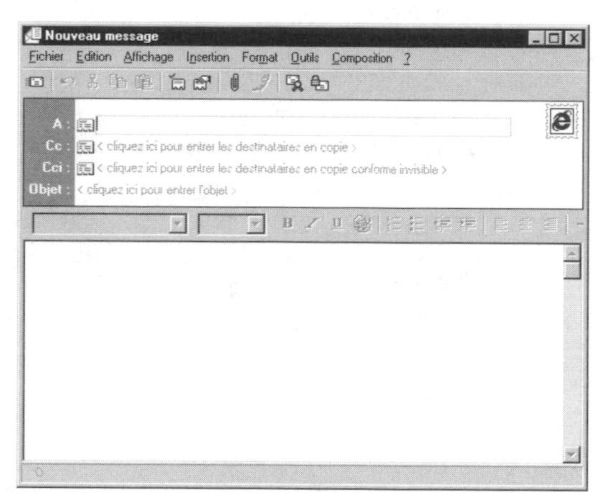

Figure 6.6 : Rédaction d'un nouveau message.

La partie supérieure de la fenêtre contient quatre informations :

- **A.** Entrez l'adresse du destinataire.
- **Cc.** Cette zone de texte peut être utilisée pour spécifier l'adresse d'un ou de plusieurs autres destinataires du message. Dans le cas de plusieurs destinataires, utilisez le caractère séparateur entre chacune des adresses.
- **Cci.** Cette zone de texte permet aussi de spécifier l'adresse d'un ou de plusieurs autres destinataires du message, mais ici, le destinataire principal n'est pas informé qu'une ou plusieurs copies du message a (ont) été envoyée(s). Si vous spécifiez plusieurs destinataires, utilisez le caractère séparateur ";" entre chacune des adresses.

- **Objet.** Si vous le souhaitez, vous pouvez définir l'objet du message pour donner des informations sur son contenu. Les informations entrées dans cette zone de texte apparaissent dans la liste des messages sans qu'il soit nécessaire de les ouvrir.

La partie inférieure de la boîte de dialogue est dédiée à la saisie du message. Remarquez la barre d'outils permettant de mettre en forme le texte du message et d'insérer des éléments graphiques (voir Figure 6.7).

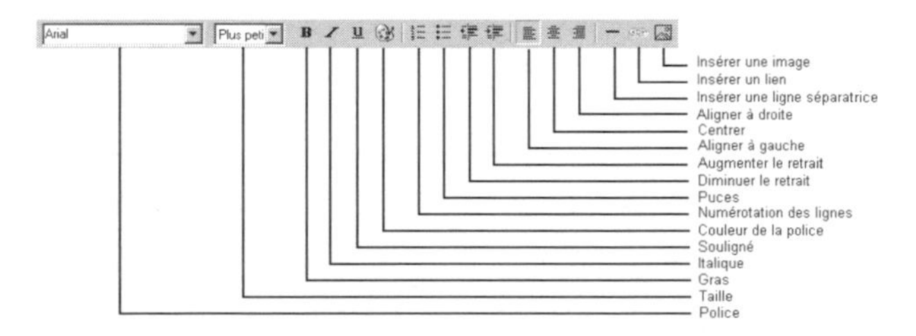

Figure 6.7 : La barre d'outils pour mettre en forme le texte d'un message.

Les listes déroulantes Police et Taille ainsi que les boutons Gras, Italique, Souligné et Couleur de la police s'appliquent à un bloc de texte sélectionné.

Les boutons Numérotation des lignes, Puces, Diminuer le retrait, Augmenter le retrait, Aligner à gauche, Centrer et Aligner à droite agissent au niveau des paragraphes. Pour les utiliser, il suffit donc de placer le point d'insertion dans un des paragraphes du message ou de sélectionner (partiellement ou complètement) plusieurs paragraphes consécutifs.

Le bouton Insérer une ligne séparatrice trace une ligne horizontale après le paragraphe où se trouve le point d'insertion.

Le bouton Définir un lien facilite la saisie des liens hypertexte (HTTP, FTP, Gopher, News, Fichier, etc.) dans un message.

Notez à ce sujet qu'outre les liens hypertexte, vous pouvez aussi envoyer le contenu de la page Web courante : cliquez sur Courrier dans Internet Explorer et sélectionnez Envoyer le document en cours dans le menu contextuel.

Enfin, le bouton Insérer une image permet de placer une ou plusieurs images de type GIF, JPG, BMP, WMF, XBM ou ART dans un message (voir Figure 6.8).

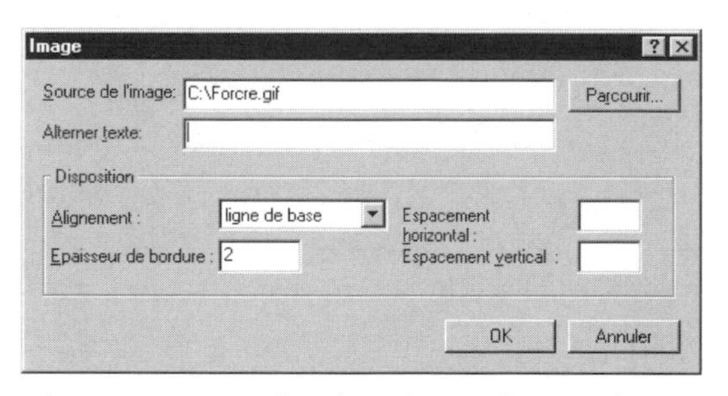

Figure 6.8 : Insertion d'une image dans un document.

Comme vous pouvez le voir, il est possible d'aligner l'image, de définir une bordure et de fixer l'espacement autour de l'image.

La figure ci-après représente un exemple de message. Bien entendu, la mise en forme du texte et les images insérées ne seront lisibles que par une autre personne qui utilise le programme de messagerie Outlook Express (voir Figure 6.9).

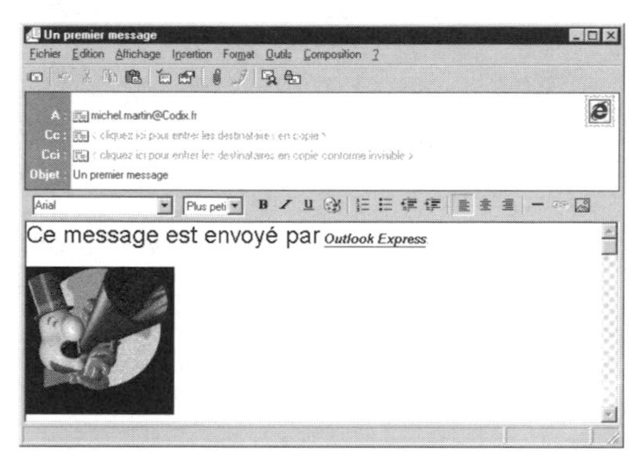

Figure 6.9 : Un exemple de message.

Si vous utilisez des polices de caractères peu courantes, il y a de fortes chances pour que votre correspondant ne les ait pas installées sur son ordinateur. Le message n'apparaîtra donc pas de la même façon que lors de sa composition.

Pour envoyer le message, appuyez sur Envoyer dans la barre d'outils. Le message est placé dans la boîte d'envoi (voir Figure 6.10).

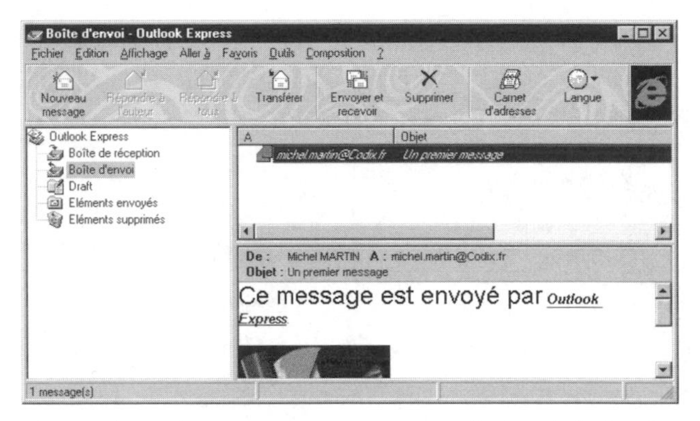

Figure 6.10 : Le nouveau message apparaît dans la boîte d'envoi.

Vous pouvez alors rédiger d'autres messages ou envoyer le message qui vient d'être créé avec la commande Envoyer dans le menu Outils d'Outlook Express.

Le format des messages envoyés par Outlook Express

Les messages envoyés par Outlook Express sont au format HTML 3.2. Voici comment un petit message purement texte est codé par Outlook Express :

```
<!DOCTYPE HTML PUBLIC "-//W3C//DTD W3 HTML 3.2//EN">
<HTML>
<HEAD>
<META content=3Dtext/html;charset=3Diso-8859-1 http-
equiv=3DContent-Type>
<META content=3D'"Trident 4.71.0544.0"' name=3DGENERATOR>
</HEAD>

<BODY>
<FONT face=3DArial size=3D2>
```

Un petit test depuis Outlook Express

```
</FONT>
</BODY>
</HTML>
```

Dans le corps du message, entre les marqueurs <BODY> et </BODY>, remarquez le marqueur <FONT> qui définit la police et la taille des caractères.

Lire votre courrier

La lecture du courrier est un vrai jeu d'enfant.

1. Lancez l'application Outlook Express, par exemple avec la commande Courrier dans le menu Aller à d'Internet Explorer.
2. Lancez la commande Envoyer et recevoir dans le menu Outils (vous pouvez aussi appuyer sur Envoyer et recevoir de la barre d'outils ou utiliser le raccourci clavier Ctrl-M).

Pour accéder à la fenêtre d'Outlook Express, vous disposez de deux autres méthodes. Première méthode : cliquez sur Démarrer puis sélectionnez Programmes et Outlook Express Mail. Seconde méthode : cliquez sur l'icône Outlook Express Mail dans la barre d'outils Lancement rapide de la barre des tâches. Nous rappelons que pour afficher cette barre d'outils, il suffit de cliquer du bouton droit sur une portion inoccupée de la barre des tâches et de sélectionner Barres d'outils/Lancement rapide dans le menu contextuel.

Dans le cas où plusieurs messages se trouvent dans votre boîte à lettres, une fenêtre indiquant leur téléchargement est affichée pendant un bref instant. Une nouvelle icône apparaît alors dans la partie droite de la barre d'outils pour indiquer que vous avez reçu du courrier (voir Figure 6.11).

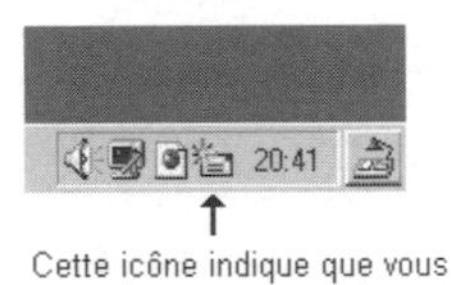

Figure 6.11 : Vous avez reçu du courrier.

Pour afficher le nouveau courrier, double-cliquez sur l'icône Nouveau courrier dans la barre des tâches, ou sélectionnez la boîte de réception dans Outlook Express.

Le nombre de nouveaux messages est affiché à droite de l'entrée Boîte de réception. Dans cet exemple, un seul message a été reçu. Les nouveaux messages apparaissent en

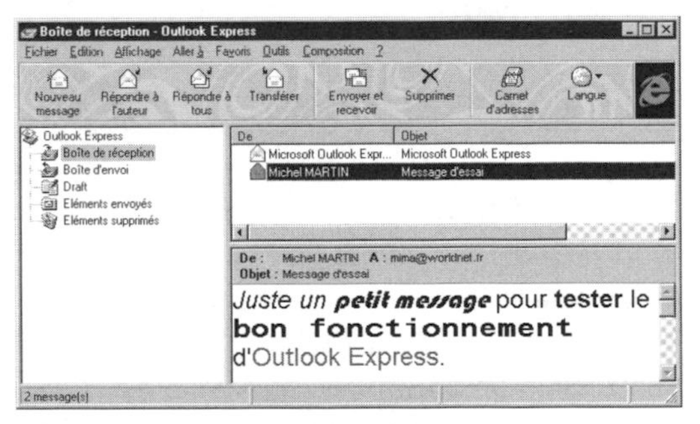

Figure 6.12 : Lecture d'un message reçu.

gras dans la liste. Pour visualiser un nouveau message, il suffit de cliquer dessus (voir Figure 6.12).

Le message sur lequel vous avez cliqué n'apparaît plus en gras pour indiquer qu'il a été lu. Et le nombre de messages reçus est diminué d'une unité dans le volet gauche. Si le message en cours de visualisation vous paraît important et que vous jugiez nécessaire de le relire, vous pouvez y affecter l'attribut "Non lu", même s'il a déjà été lu. Faites un clic droit sur le message et sélectionnez Marquer comme non lu(s) dans le menu contextuel.

Inversement, si un ou plusieurs messages vous paraissent inintéressants, vous pouvez les marquer comme lus, même s'il n'ont pas été lus : cliquez sur les messages concernés en maintenant la touche Contrôle enfoncée. Cliquez alors à droite sur l'un des messages sélectionnés et sélectionnez Marquer comme lu(s) dans le menu contextuel.

Les messages jugés sans intérêt peuvent directement être jetés dans la corbeille : cliquez sur les messages concernés en maintenant la touche Contrôle enfoncée. Cliquez alors à droite sur l'un des messages sélectionnés et sélectionnez Supprimer dans le menu contextuel. Les messages sont déplacés dans l'entrée Eléments supprimés. Ils n'apparaissent donc plus dans la boîte de réception. Pensez à vider la corbeille de temps en temps pour ne pas encombrer votre disque dur avec des messages sans intérêt. Pour cela, cliquez à droite sur l'entrée Eléments supprimés et sélectionnez Vider le dossier. La suppression se fait après confirmation.

Le carnet d'adresses d'Internet Explorer

Il y a fort à parier que vous enverrez souvent des courriers aux mêmes personnes. Pour éviter d'avoir à retenir des adresses e-mail parfois longues et complexes, donc sujettes à des erreurs de saisie, vous avez tout intérêt à utiliser le carnet d'adresses fourni avec Internet Explorer.

Le carnet d'adresses est accessible à partir du menu Démarrer par la commande Programmes/Carnet d'adresses de Windows (voir Figure 6.13). Il permet de mettre en relation le nom d'une personne et son adresse e-mail, mais il peut aussi être utilisé pour stocker d'autres informations relatives à la personne, par exemple, ses coordonnées personnelles et professionnelles.

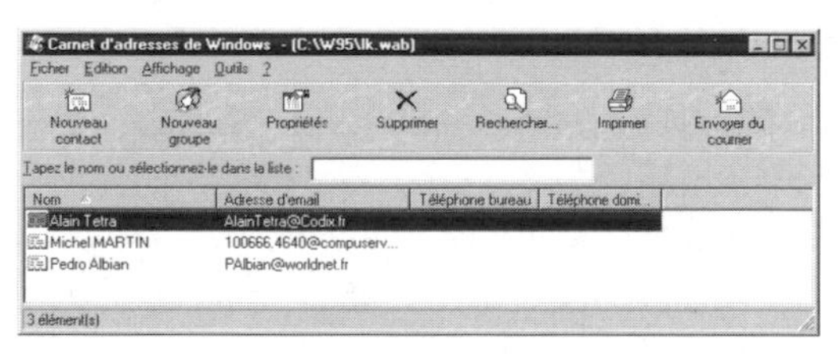

Figure 6.13 : Le carnet d'adresses fourni avec Internet Explorer.

Pour définir un nouveau correspondant, appuyez sur Nouveau contact. Complétez les informations sous l'onglet personnel et validez en appuyant sur OK. Si vous le désirez, vous pouvez saisir d'autres informations dans la boîte de dialogue en sélectionnant les quatre onglets suivants (voir Figure 6.14).

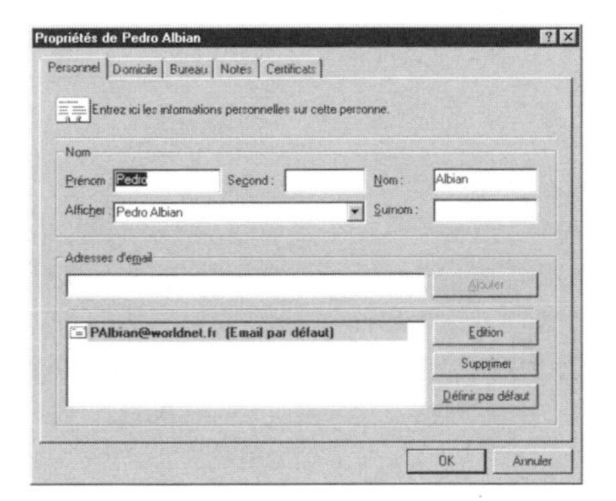

Figure 6.14 : Définition d'un nouveau correspondant.

Lorsque vous rédigerez un nouveau message, il suffira de cliquer sur les icônes situées à droite des labels A, Cc et Cci pour accéder aux entrées du carnet d'adresses. Vous choisirez alors les noms des destinataires dans une liste plutôt que de taper leur adresse électronique.

Heure 7

Le téléchargement FTP

Au sommaire de cette heure

- Qu'est-ce que FTP
- Comment trouver l'adresse des sites FTP
- Obtenir la liste des fichiers disponibles sur un site
- Optimiser la vitesse de téléchargement
- Rechercher des fichiers sur l'Internet
- Une histoire de compression

Internet regorge de fichiers de tous types librement téléchargeables. Certains fichiers sont directement accessibles sur des sites Web. D'autres se trouvent dans des bibliothèques logicielles FTP. Dans cette heure, vous allez apprendre à accéder aux sites FTP anonymes, à rechercher les sites FTP contenant un fichier particulier et à optimiser vos téléchargements.

Qu'est-ce que FTP ?

FTP (*File Transfer Protocol*) est un protocole de communication. Entendez par là un ensemble de règles respectées par deux ordinateurs pour échanger des données. Le protocole FTP est apparu bien avant le Web. A l'époque, il permettait aux universitaires et chercheurs américains d'échanger des fichiers de données. Il existe de très nombreux serveurs de fichiers FTP qui proposent une quantité inimaginable de fichiers de toutes sortes : des sons, des coupures de presse, des images, des illustrations (clipart), des vidéos, et surtout des programmes qui relèvent du freeware, du shareware ou de la démonstration.

Les freeware sont des programmes publics et gratuits. Vous pouvez les utiliser à titre personnel sans aucune contrainte.

Les shareware (ou partagiciels) sont des programmes en libre essai. Si vous les utilisez régulièrement, vous avez le devoir moral de verser une certaine somme à ses auteurs. En échange, vous recevez une version "enregistrée" du programme. Cette version élimine les messages indiquant qu'il s'agit d'un shareware et non d'une version complète et apporte, en général, des fonctionnalités complémentaires.

Les démonstrations sont des versions limitées de programmes commerciaux dont le but est de montrer succinctement les possibilités du programme.

Vous rencontrerez des sites FTP privés. Ces sites ne pourront être visités que si vous possédez le bon code d'accès.

Dans certains cas, un code est attribué après abonnement auprès du serveur FTP. Dans d'autres cas, il est impossible d'obtenir un code d'accès, car le serveur est réservé aux employés d'une entreprise ou relève du secret défense.

Mais rassurez-vous, il existe un grand nombre de sites ouverts à tous. Ces sites sont couramment appelés FTP anonymes. Il est donc possible de s'y connecter sous une identité quelconque en remplaçant le nom d'utilisateur par le mot anonymous et le mot de passe par votre adresse électronique. En utilisant Internet Explorer, les échanges avec le serveur FTP anonyme sont réellement facilités. En particulier, la prise de contrôle du serveur et la divulgation de votre identité (nom d'utilisateur et mot de passe) sont totalement automatiques. Après connexion à un site FTP, l'écran est composé d'un ensemble de liens hypertexte sur lesquels il suffit de cliquer pour changer de répertoire ou pour demander le téléchargement d'un fichier (voir Figure 7.1).

Comment trouver l'adresse des sites FTP ?

A n'en pas douter, vous êtes abonné à une ou plusieurs revues d'informatique, ou en tout cas, il vous arrive d'acheter des revues informatiques. Alors, en y regardant d'un peu plus près, vous ne manquerez pas de trouver des adresses de sites FTP. Ces adresses commencent toujours par **ftp://**, par exemple, **ftp://cdrom.com/** ou encore **ftp://ftp.midifarm.com/pub/midifiles/general_midi/**.

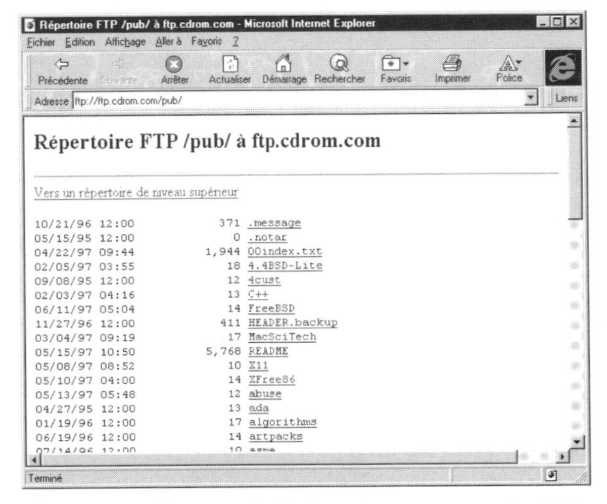

Figure 7.1 : Un exemple d'arborescence sur un site FTP anonyme.

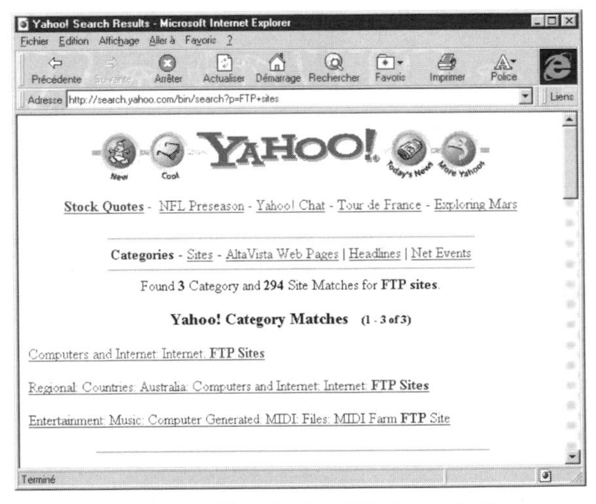

Figure 7.2 : Des milliers de sites FTP à portée de souris.

Vous pouvez aussi faire appel à Yahoo pour obtenir une liste conséquente de sites FTP. Connectez-vous sur le site **http://www.yahoo.com/** et faites une recherche sur le terme FTP sites. Comme vous pouvez le constater, la pêche est plus que satisfaisante (voir Figure 7.2).

Une troisième méthode consiste à faire appel à un site de recherche FTP, comme FTPSEARCH par exemple. En entrant le nom d'un fichier connu, vous obtiendrez la liste des sites FTP qui le proposent, et donc qui contiennent d'autres fichiers du même type.

Enfin, une quatrième méthode, et non la moindre consiste à contacter le site **http://hoohoo.ncsa.uiuc.edu/ftp** qui donne une liste impressionnante de sites FTP anonymes (voir Figure 7.3).

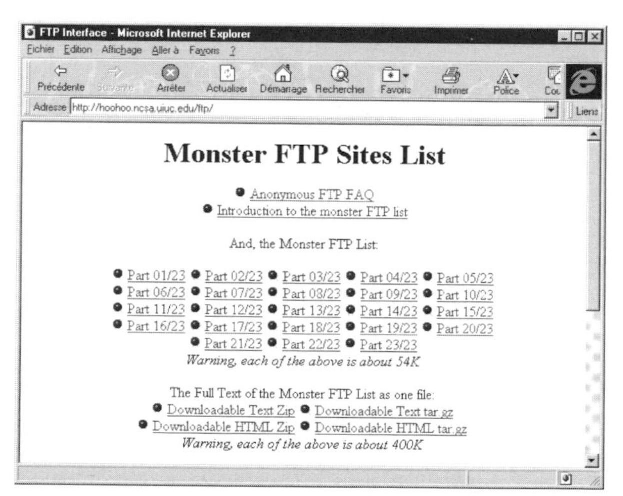

Figure 7.3 : Une liste gigantesque de sites FTP.

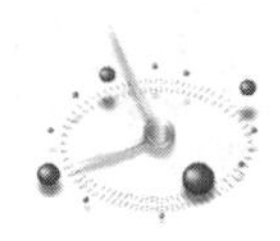

Vous pouvez visualiser en direct une des 23 parties du texte qui recense les sites FTP ou opter pour le téléchargement d'un fichier compressé qui regroupe tous les fichiers. Dans le deuxième cas, vous aurez tout le loisir de consulter la liste hors connexion et trouver les sites de vos rêves…

La copie d'écran de la Figure 7.4 représente l'un des 23 textes accessibles depuis la page principale.

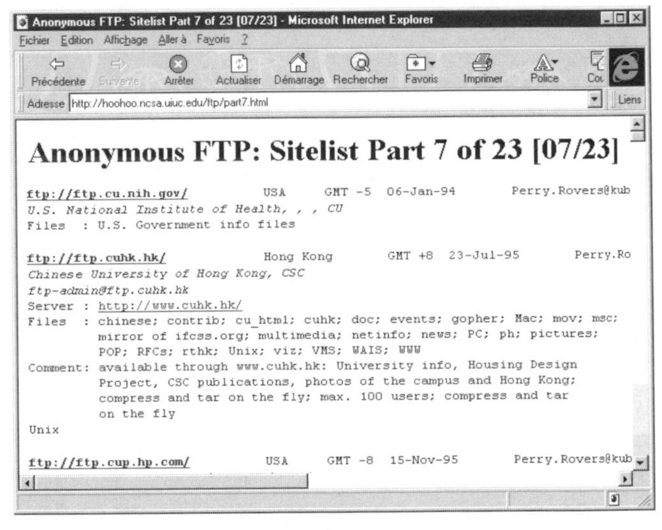

Figure 7.4 : Le 7e fichier de la liste.

Obtenir la liste des fichiers disponibles sur un site

La liste des fichiers d'un site FTP est souvent disponible dans un fichier texte ou compressé dont le nom est assez évocateur. Par exemple LIST.TXT, README.TXT, INDEX.TXT ou encore INDEX.ZIP. Il suffit de cliquer sur le lien correspondant pour rapatrier la liste des fichiers sur votre ordinateur. Attention, cette liste pèse souvent plusieurs centaines de kilo-octets. Une fois téléchargée, mieux vaut la sauvegarder sur votre disque dur pour pouvoir l'examiner tranquillement... hors connexion (voir Figure 7.5).

Si vous optez pour une version compressée (en général d'extension .ZIP), vous devrez disposer d'un logiciel de décompression approprié pour accéder au fichier texte renfermé dans l'archive. Vous pourrez aussi utiliser l'indispensable shareware Windows Commander qui est capable de visualiser le contenu d'un fichier compressé en deux clics de souris !

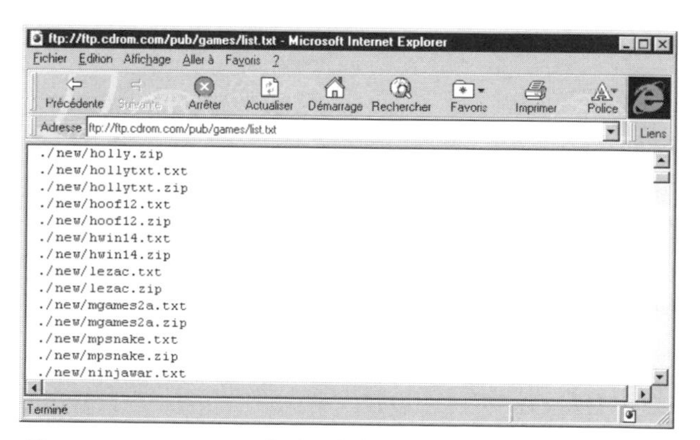

Figure 7.5 : Un exemple de "fichier des fichiers" sur le répertoire des jeux du site cdrom.com.

Optimiser la vitesse de téléchargement

Lorsque vous cliquez sur un lien hypertexte correspondant à un fichier compressé, une boîte de dialogue vous demande de préciser ce que vous voulez faire du fichier (voir Figure 7.6).

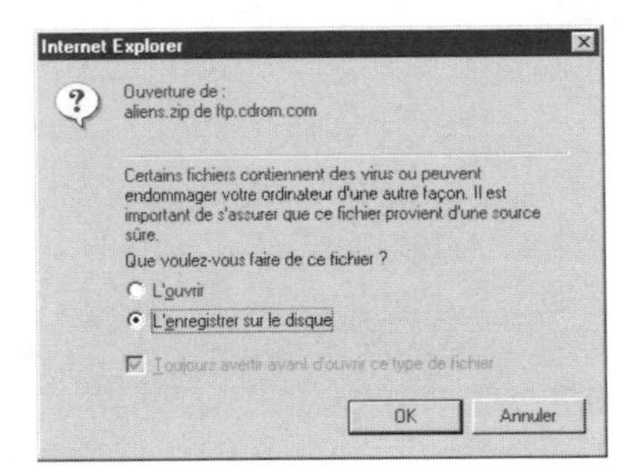

Figure 7.6 : Validez l'enregistrement du fichier.

Appuyez sur OK pour demander l'enregistrement du fichier sur le disque dur, puis indiquez le dossier de sauvegarde. Une autre boîte de dialogue vous indiquant la vitesse de transfert des données est affichée. Dans l'exemple de la Figure 7.7, le téléchargement "instantané" (c'est-à-dire à l'instant de la capture d'écran) s'effectue à 243 octets par seconde.

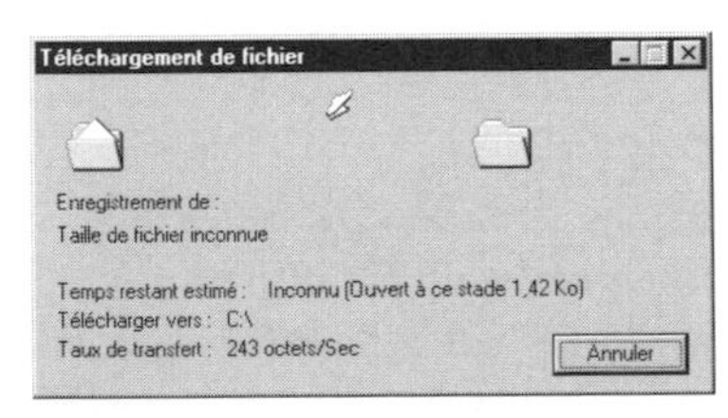

Figure 7.7 : Contrôle du téléchargement.

Le tableau ci-après donne une estimation de la vitesse maximale de téléchargement en fonction de la vitesse à laquelle vous avez établi votre connexion avec le fournisseur d'accès.

Vitesse de connexion (en bps)	Taux de transfert maximum	Temps nécessaire pour charger 100 Kilo-octets
9600	960 caractères par seconde	104 secondes
14 400	1440 caractères par seconde	69 secondes
28 800	2880 caractères par seconde	35 secondes
31 200	3120 caractères par seconde	32 secondes
33 600	3360 caractères par seconde	30 secondes
56 000	5600 caractères par seconde	18 secondes

Comme vous pouvez le constater, il existe une différence de taille entre une connexion à 9600 bps et une connexion à 56 000 bps. Mais attention, rien ne sert d'utiliser un modem de toute dernière génération si vous vous connectez à un site FTP surchargé et/ou trop distant de votre lieu d'appel. Si la vitesse de transfert des données indiquée dans la boîte de dialogue Téléchargement de fichier est trop faible tout au long du téléchargement, cela signifie très probablement que le site FTP est surchargé. Dans l'exemple de la Figure 7.6, la vitesse de chargement instantanée est de 243 octets par seconde. La connexion avec le fournisseur d'accès a été établie à 33 600 bps. La vitesse de chargement idéale devrait donc être de 3 360 caractères par seconde. Le résultat instantané est plus de 10 fois inférieur ! Si la vitesse de téléchargement reste aussi faible pendant quelques dizaines de secondes, vous avez intérêt à changer de site de téléchargement.

Les sites FTP les plus courants possèdent un ou plusieurs "sites miroirs" qui peuvent être situés dans des régions plus proches de votre lieu d'appel, ou encore qui peuvent être moins surchargés, car moins connus. N'hésitez pas à tester les sites miroirs. En général, le jeu en vaut la chandelle...

Un miroir est un site qui contient les mêmes fichiers que le site d'origine, mais qui est localisé sur un autre ordinateur.

Une autre solution s'offre à vous. Si vous avez choisi de télécharger un fichier, cela signifie que vous connaissez son nom. Vous allez donc pouvoir interroger un serveur de recherche spécialisé FTP pour obtenir en retour un liste de sites où télécharger ce fichier. Cette possibilité va être examinée dans la prochaine section.

Rechercher des fichiers sur l'Internet

FTP est une vaste bibliothèque logicielle : plusieurs millions de fichiers téléchargeables sur plusieurs milliers de sites. Sans un bon guide, vous risquez de passer de longues heures à rechercher un fichier qui vous tient à cœur. Dans la quatrième heure, vous avez appris à utiliser les sites de recherche Web, par exemple, Yahoo ou Altavista.

Il existe des sites de recherche spécialisés qui indexent une grande partie des fichiers que l'on peut trouver sur les serveurs FTP. Cette section va vous montrer comment utiliser Internet Explorer pour accéder à deux des plus importants : Archie et FTPSearch.

S'il est vrai qu'il existe des programmes spécialisés dans l'accès aux sites Archie, Internet Explorer fait très bien l'affaire, puisque ces sites sont accessibles via une passerelle Web. Pour vous en convaincre, connectez-vous à l'adresse suivante : **http://hoohoo.ncsa.uiuc.edu/archie.html** (voir Figure 7.8).

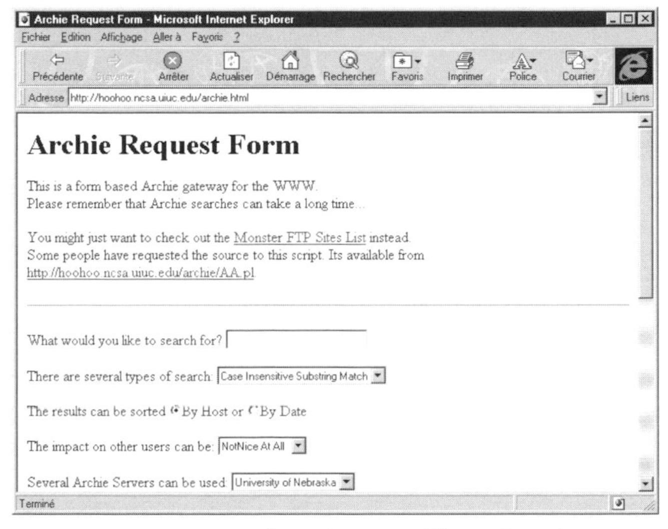

Figure 7.8 : Une passerelle Archie accessible par le Web.

Entrez le terme recherché dans la première zone de texte, modifiez si nécessaire le paramétrage par défaut et validez en appuyant sur Submit. Quelques instants plus tard, une liste de sites FTP contenant le fichier recherché se trouve à portée de souris (voir Figure 7.9).

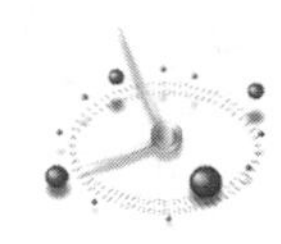

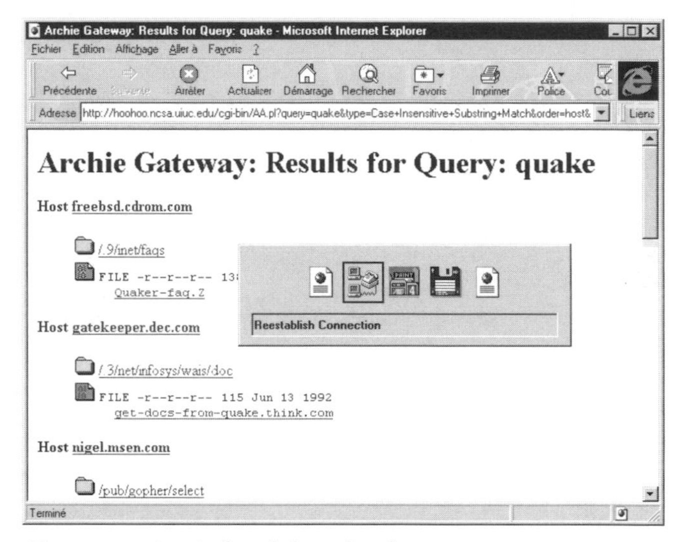

Figure 7.9 : Le résultat de la recherche.

Si Archie met trop de temps à répondre, vous pouvez essayer de contacter FtpSearch, un autre site de recherche FTP accessible entre autres à l'adresse **http://ftpsearch .cafesurf.co.uk/**.

Entrez le nom ou une partie du nom d'un fichier dans la zone de texte Search for pour obtenir en quelques secondes la liste des sites FTP où il peut être téléchargé (voir Figure 7.10).

Les données renvoyées laissent apparaître la taille et la date de création du fichier, le site et le répertoire de stockage. Dans la mesure du possible, privilégiez les sites français pour optimiser les temps d'accès.

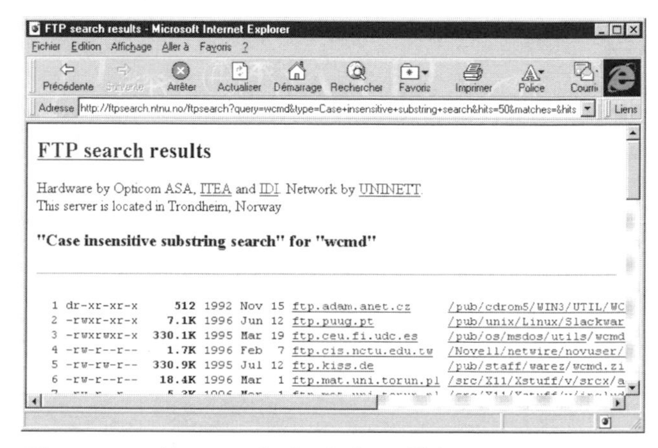

Figure 7.10 : Un exemple de résultat affiché par FTPSEARCH.

Une histoire de compression

Essentiellement pour des raisons de taille de stockage sur les disques durs des serveurs FTP, la plupart des fichiers téléchargeables sont compressés. Un autre avantage pour l'utilisateur final : la taille des fichiers compressés étant 2 à 3 fois moins importante que la taille réelle des fichiers, il en va de même du temps nécessaire à leur téléchargement.

Le seul problème réside dans la nécessité d'utiliser un outil de décompression approprié pour transformer les archives compressées en un ensemble de fichiers utilisables.

Les fichiers compressés sont pour la plupart au format ZIP. Pour les décompresser, nous allons vous proposer deux outils :

Winzip. Le célèbre outil de décompression de fichiers ZIP.

Windows Commander. Un fantastique gestionnaire de fichiers pour Windows.

Le programme Winzip

Pour décompresser un fichier zippé (c'est-à-dire au format ZIP), le plus simple consiste à utiliser le programme Winzip dont la version shareware est téléchargeable à l'adresse **http://www.winzip.de** (voir Figure 7.11).

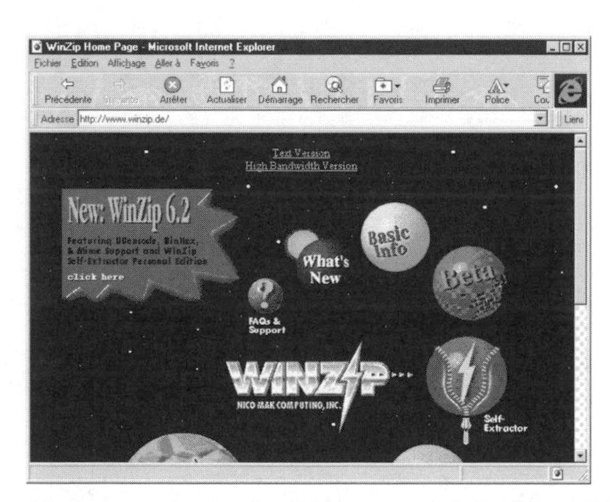

Figure 7.11 : Le site de téléchargement de l'utilitaire Winzip.

Pour décompresser une archive zipée, procédez comme suit :

1. Ouvrez l'archive en appuyant sur Open de la barre d'outils, en lançant la commande Open Archive dans le

menu File ou grâce au raccourci clavier Ctrl-O. La liste des fichiers apparaît alors dans la fenêtre de Winzip (voir Figure 7.12).

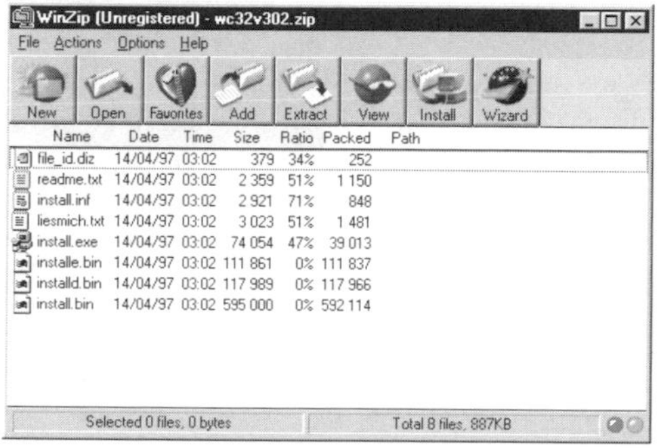

WinZip (Unregistered) - wc32v302.zip

File Actions Options Help

New Open Favorites Add Extract View Install Wizard

Name	Date	Time	Size	Ratio	Packed	Path
file_id.diz	14/04/97	03:02	379	34%	252	
readme.txt	14/04/97	03:02	2 359	51%	1 150	
install.inf	14/04/97	03:02	2 921	71%	848	
liesmich.txt	14/04/97	03:02	3 023	51%	1 481	
install.exe	14/04/97	03:02	74 054	47%	39 013	
installe.bin	14/04/97	03:02	111 861	0%	111 837	
installd.bin	14/04/97	03:02	117 989	0%	117 966	
install.bin	14/04/97	03:02	595 000	0%	592 114	

Selected 0 files, 0 bytes — Total 8 files, 887KB

Figure 7.12 : Les fichiers contenus dans une archive.

2. Appuyez sur Extract et indiquez le répertoire dans lequel vous désirez extraire les fichiers contenus dans l'archive.

Le programme Windows Commander

Les dernières versions de Windows Commander sont fournies avec un compresseur/décompresseur de fichiers ZIP interne. Il est donc inutile de se procurer un programme annexe pour décompresser une archive ZIP ou compresser au format ZIP un fichier ou un dossier.

Si, par contre, vous voulez compresser/décompresser des fichiers aux formats ARJ, LHA, RAR ou UC2, vous devrez vous procurer les programmes associés, les installer sur votre disque dur et indiquer leurs répertoires d'installation à Windows Commander.

Pour télécharger la version shareware de Windows Commander, connectez-vous au site **http://www.ghisler.com/** (voir Figure 7.13).

Ce site vous propose de télécharger les dernières versions 16 et 32 bits.

Une fois installé sur votre disque dur, Windows commander permettra de visualiser l'intérieur d'une archive en double-cliquant dessus (voir Figure 7.14).

Dans cet exemple, le volet droit de l'application visualise le contenu d'une archive. Pour décompresser l'archive, il suffit de créer un nouveau dossier dans le volet gauche en appuyant sur la touche de fonction *F7*, de sélectionner les fichiers de l'archive en appuyant sur la touche + du pavé numérique et de copier les fichiers sélectionnés dans le nouveau dossier en appuyant sur la touche *F5* du clavier.

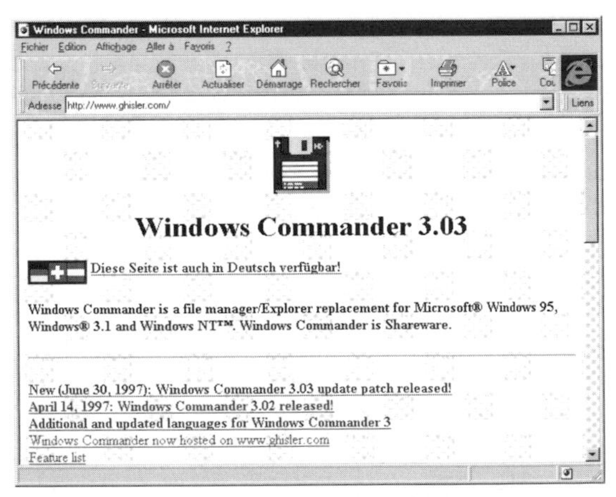

Figure 7.13 : Le site officiel de téléchargement de Windows Commander.

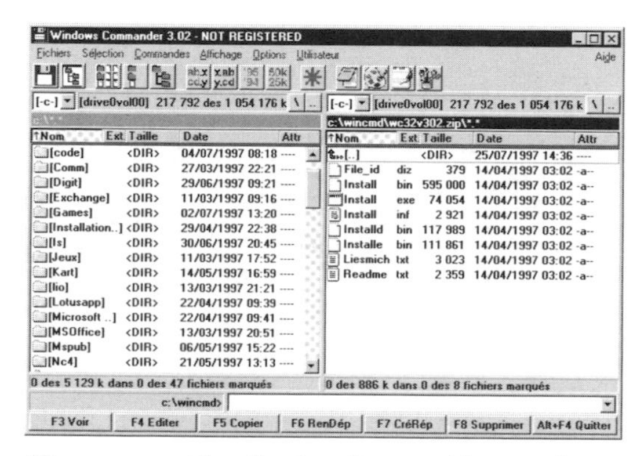

Figure 7.14 : Visualisation d'une archive ZIP dans le volet droit de l'application.

Heure 8

Les groupes de nouvelles

Au sommaire de cette heure

- Qu'est-ce que les groupes de nouvelles
- Accéder aux nouvelles avec Outlook Express News
- Paramétrer le module de nouvelles d'Outlook Express
- Affichage des groupes de nouvelles et abonnement
- Affichage des messages
- Prendre part à un groupe de nouvelles
- Accéder à un autre serveur de nouvelles

Les groupes de nouvelles s'adressent à tous les passionnés de la terre qui se sentent frustrés de ne pas pouvoir partager leurs hobbies avec d'autres personnes dans le même cas. Quel que soit votre centre d'intérêt (l'équitation, le vol à voile, les oiseaux des îles ou la couture), vous trouverez sans peine un ou plusieurs groupes de nouvelles pour échanger vos points de vue et engager des conversations enthousiastes avec d'autres passionnés, que ceux-ci se trouvent dans la même ville que vous ou à l'autre bout du monde...

Qu'est-ce que les groupes de nouvelles ?

Les groupes de nouvelles sont des lieux de rendez-vous publics qui permettent à plusieurs interlocuteurs d'échanger des points de vue sur les sujets qui leur tiennent à cœur. En cela, ils sont diamétralement opposés au courrier électronique qui n'entretient que des conversations privées. Tous les messages écrits dans un groupe de nouvelles sont publics. Ils peuvent être lus par plusieurs centaines, voire même plusieurs milliers de personnes d'horizons très divers, mais qui partagent un même centre d'intérêt.

Internet Explorer est fourni avec une application destinée à faciliter vos navigations dans les groupes de nouvelles : Outlook Express News. Dans cette heure, vous allez apprendre à utiliser cet outil pour rechercher les groupes de nouvelles qui vous intéressent, prendre connaissance des messages qui y circulent et prendre part aux conversations.

Accéder aux nouvelles avec Outlook Express

Plusieurs méthodes permettent d'accéder au module de nouvelles Outlook Express depuis Internet Explorer.

- Lancez la commande News dans le menu Aller à.
- Cliquez sur Courrier dans la barre d'outils et sélectionnez Lire les News dans le menu contextuel.
- Cliquez sur Démarrer, sélectionnez Programmes puis Outlook Express News.

Paramétrer le module de nouvelles d'Outlook Express

Lorsque vous lancez pour la première fois le module de nouvelles d'Outlook Express, l'assistant de connexion Internet s'active (voir Figure 8.1).

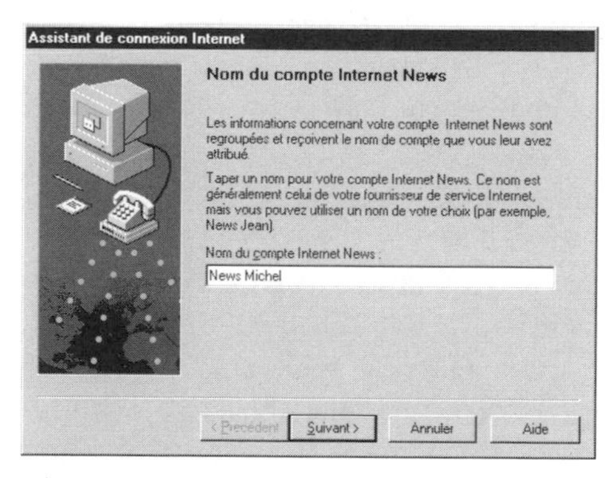

Figure 8.1 : La première boîte de dialogue de l'assistant de connexion Internet.

Entrez votre nom ou un pseudonyme dans la zone de texte Nom du compte Internet News, puis appuyez sur Suivant. Une deuxième boîte de dialogue est affichée.

Entrez le nom que vous voulez voir apparaître sous le champ De des messages que vous rédigerez, puis appuyez sur Suivant. Dans la troisième boîte de dialogue de l'assistant, vous devez entrer votre adresse électronique.

Un nouveau clic sur Suivant et vous devez indiquer le nom du serveur de nouvelles. Cette information doit vous être communiquée par votre fournisseur d'accès.

Un nouveau clic sur Suivant et vous devez indiquer si la connexion Internet se fait à travers une ligne téléphonique ou un réseau local. Dans le premier cas, précisez le nom de la connexion d'accès à distance à utiliser puis appuyez sur Terminer pour achever la configuration et accéder à la fenêtre Groupes de discussion.

Outlook Express détecte que la liaison avec le serveur de nouvelles n'est pas établie et vous propose de vous connecter. Acceptez en appuyant sur Oui.

Le paramétrage de la connexion sur le serveur de courrier peut être modifié depuis Outlook Express grâce à la commande Comptes dans le menu Outils. Sélectionnez une des entrées dans la boîte de dialogue Comptes Internet puis appuyez sur Propriétés pour accéder aux paramètres de la connexion (voir Figure 8.2).

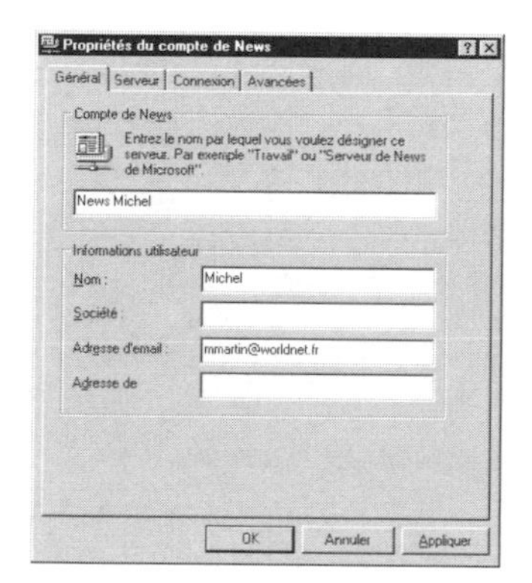

Figure 8.2 : Modification du paramétrage de la connexion.

Peut-être avez-vous remarqué le bouton Ajouter dans la boîte de dialogue Comptes Internet. Comme ce bouton le laisse supposer, il est possible de définir plusieurs comptes Internet, et ainsi, de centraliser les groupes de nouvelles appartenant à plusieurs serveurs de nouvelles. Le cas échéant, vous pouvez accéder à un des groupes de nouvelles en cliquant à droite sur son nom dans le volet gauche et en sélectionnant la commande Groupe de news.

Affichage des groupes de nouvelles et abonnement

Lors de la première connexion sur le serveur de nouvelles, le fichier contenant l'ensemble des groupes de nouvelles disponibles chez votre fournisseur d'accès doit être rapatrié sur votre disque dur (voir Figure 8.3). L'opération peut prendre plusieurs minutes.

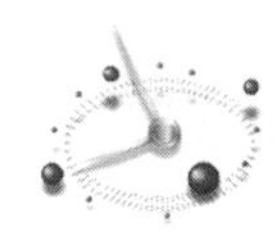

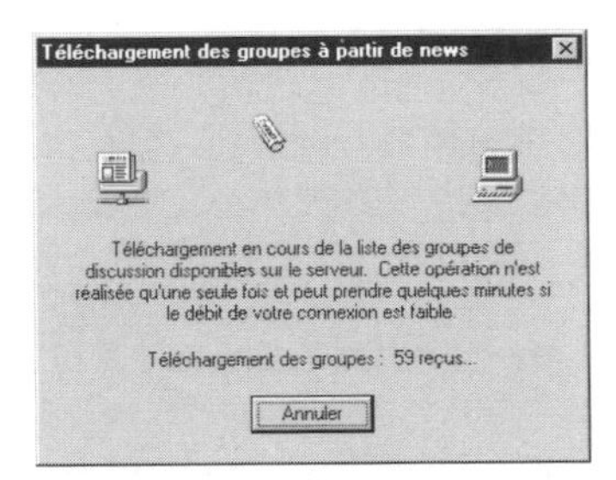

Figure 8.3 : Téléchargement des groupes de nouvelles.

Lorsque le téléchargement des données est terminé, la liste des groupes de nouvelles disponibles apparaît dans la boîte de dialogue Groupes de discussion (voir Figure 8.4).

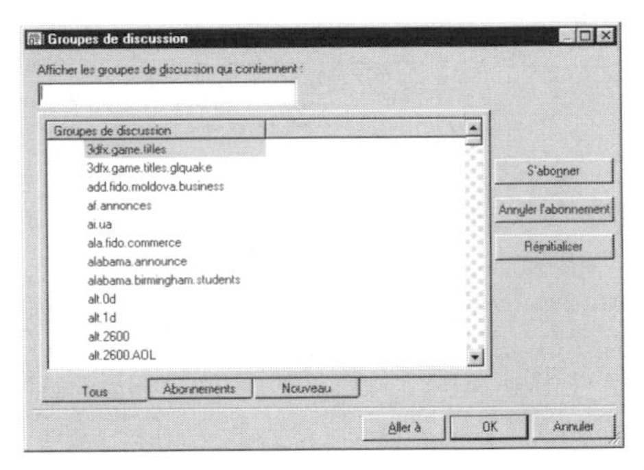

Figure 8.4 : Les groupes de nouvelles disponibles.

Supposons que vous soyez intéressé par les poissons exotiques et par le langage Visual Basic. Tapez fish dans la zone de texte Afficher les groupes de discussion qui contiennent, sélectionnez le groupe rec.aquaria.freshwater.goldfish et appuyez sur S'abonner pour accéder aux messages contenus dans ce groupe. Appuyez maintenant sur Aller à pour télécharger les en-têtes des messages de ce groupe.

Pour vous abonner au deuxième groupe de nouvelles, appuyez sur Groupes de discussion qui se trouve dans la barre d'outils d'Outlook Express puis entrez Visual Basic dans la zone de texte Afficher les groupes de discussion qui contiennent. Sélectionnez le groupe comp.lang.basic.visual.misc et appuyez sur S'abonner pour accéder aux messages contenus dans ce groupe.

Affichage des messages

En parcourant les en-têtes des messages, vous pouvez trouver un message qui vous intéresse. Pour visualiser son contenu dans le volet inférieur, il suffit de cliquer dessus (voir Figure 8.5).

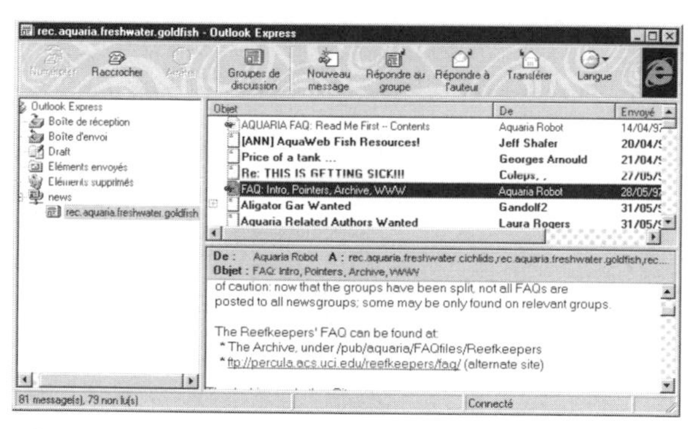

Figure 8.5 : Visualisation du contenu d'un message.

Pour faciliter le repérage des messages dans la liste, l'icône affichée devant les messages déjà visualisés est différente de celle des messages non visualisés.

Devant certaines en-têtes, un petit signe plus indique qu'une ou plusieurs réponses ont été envoyées aux messages correspondants. Il suffit de cliquer sur ce signe plus pour accéder aux en-têtes des réponses (voir Figure 8.6).

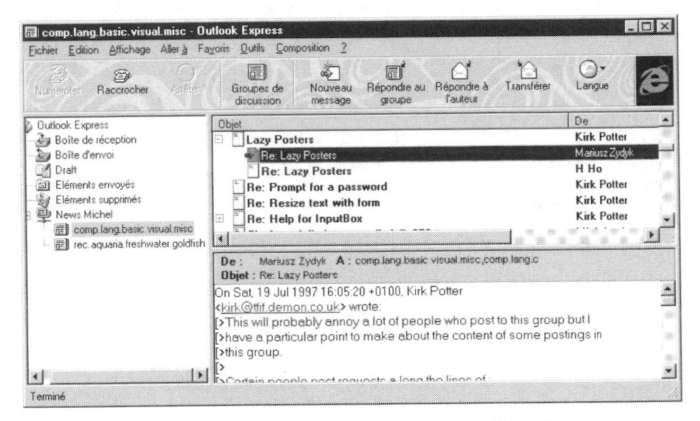

Figure 8.6 : Visualisation des réponses associées à un message.

Il est possible de garder une trace disque ou papier du message en cours de visualisation. Vous pouvez lancer la commande :

Enregistrer sous dans le menu Fichier pour sauvegarder le message dans un fichier disque.

Copier vers le dossier dans le menu Edition pour placer le message dans un des dossiers qui apparaissent dans le volet gauche d'Outlook Express.

Imprimer dans le menu Fichier pour imprimer le message.

Les messages issus des groupes de nouvelles sont très proches des courriers électroniques, à cela près qu'ils ne sont pas envoyés à une personne en particulier, mais à une adresse publique accessible par toute personne intéressée par le sujet dont ils traitent.

Tout comme les courriers électroniques, les messages lus dans un groupe de nouvelles sont composés :

- d'un en-tête contenant le nom du rédacteur, la date de l'expédition et l'objet du message ;
- d'une partie message qui contient le texte du message.

En plus de ces informations, vous trouverez aussi le nom du groupe de discussion dans l'en-tête et un ou plusieurs liens hypertexte à la fin du message en rapport avec leur auteur.

Pour être plus à l'aise dans la lecture d'un message qui vous intéresse, double-cliquez sur son en-tête (voir Figure 8.7).

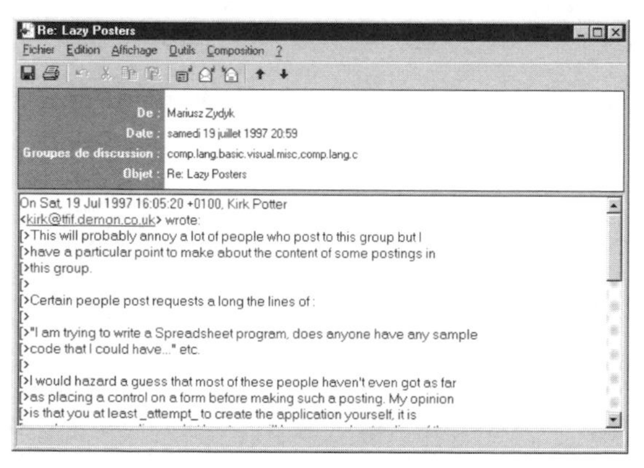

Figure 8.7 : Visualisation d'un message.

Comme le laissent supposer les icônes de la barre d'outils, vous pouvez sauvegarder le message sur votre disque dur, l'imprimer ou envoyer une réponse.

Messages lus et non lus

Outlook Express est en mesure de filtrer l'affichage des en-têtes de messages avec la commande Affichage actuel dans le menu Affichage. Vous pouvez choisir d'afficher tous les messages, les messages non lu(s) ou les messages téléchargés.

Lorsque vous cliquez sur l'en-tête d'un message, son contenu est affiché dans le volet inférieur et il est considéré comme lu par Outlook Express. En lançant la commande Affichage actuel/Messages non lu(s) dans le menu Affichage, seuls les en-têtes des messages non lus sont affichées. Si vous le souhaitez, il est possible d'affecter la marque "lu" à certains messages qui vous paraissent intéressants ou qui ne vous concernent pas. De la sorte, ces messages n'apparaîtront pas dans le volet supérieur si vous choisissez de limiter l'affichage aux seuls messages non lus.

Pour affecter la marque "lu" à un message, cliquez à droite sur son en-tête et sélectionnez la commande Marquer comme lu(s) dans le menu contextuel. La commande Marquer comme non lu(s) produit bien évidemment l'effet inverse.

Si un message est illisible

De temps en temps, vous pouvez tomber sur des messages illisibles. Les caractères de chaque mot semblent avoir été mélangés. Il y a de fortes chances pour que le message en cours de visualisation soit au format ROT13. Il s'agit d'un codage dans lequel chaque caractère a été remplacé par la lettre située 13 places plus loin : le A est remplacé par le N, le B par le O, le C par le P, etc. Pour obtenir le message original, il suffit d'opérer la substitution inverse (voir Figure 8.8).

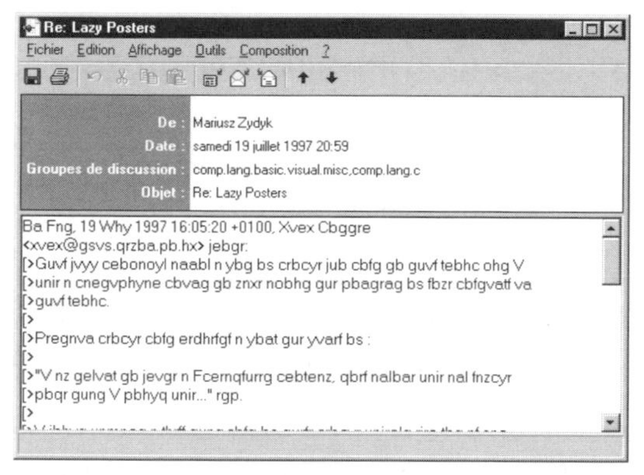

Figure 8.8 : Un message ROT13 n'est pas immédiatement lisible

Internet Explorer est en mesure d'effectuer ce traitement par une simple commande de menu. Lancez la commande Déchiffrer (ROT13) dans le menu Edition et le contenu du message deviendra lisible. Mais attention, si un message est codé en ROT13, cela signifie que la personne qui en est à l'origine a jugé que son contenu pouvait être choquant ou offensant. Si vous choisissez de décrypter le message, ne venez pas vous plaindre sur la qualité douteuse de ses propos : vous étiez prévenu à l'avance !

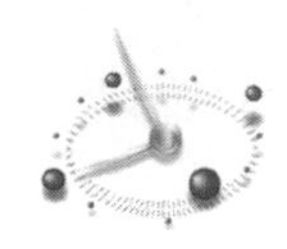

Prendre part à un groupe de nouvelles

Après avoir passé quelques dizaines de minutes à lire les messages d'un groupe de nouvelles qui vous tient à cœur, vous voudrez peut-être prendre part à la discussion, en répondant à un message existant ou en rédigeant un nouveau message.

Répondre à un message existant

Pour répondre à un message existant, cliquez à droite sur son en-tête et sélectionnez Répondre au groupe de news ou Répondre à l'auteur dans le menu contextuel. Il est important de bien différencier ces deux commandes. La première envoie votre message au groupe de nouvelles. Le message sera donc lisible par toutes les personnes abonnées à ce groupe de nouvelles. La deuxième envoie votre réponse à l'auteur du message.

Quelle que soit la commande choisie, une fenêtre contenant le message original est affichée. Remarquez les signes > devant chaque ligne du message. Ils indiquent qu'il s'agit du message original et non de la réponse (voir Figure 8.9).

Déplacez-vous à la fin du message et entrez votre réponse. Pour envoyer ce message, vous pouvez :

1. Lancez la commande Envoyer le message dans le menu Fichier.
2. Cliquez sur l'icône Poster le message dans la barre d'outils.

3. Utilisez le raccourci clavier Ctrl-S.

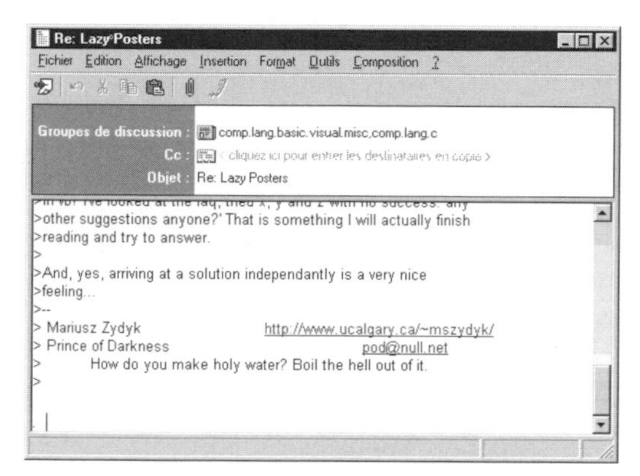

Figure 8.9 : Envoi d'une réponse à un groupe de nouvelles.

Créer un nouveau message

Si vous désirez soumettre une nouvelle question ou envoyer des informations au groupe de discussion, vous devez créer un nouveau message.

Lancez la commande Nouveau message dans le menu Fichier ou cliquez Nouveau message dans la fenêtre d'Outlook Express. L'adresse du groupe de discussion est automatiquement insérée. Il ne vous reste plus qu'à entrer le texte du nouveau message. Pour envoyer ce message au groupe de discussion, utilisez l'une des trois méthodes décrites précédemment (voir Figure 8.10).

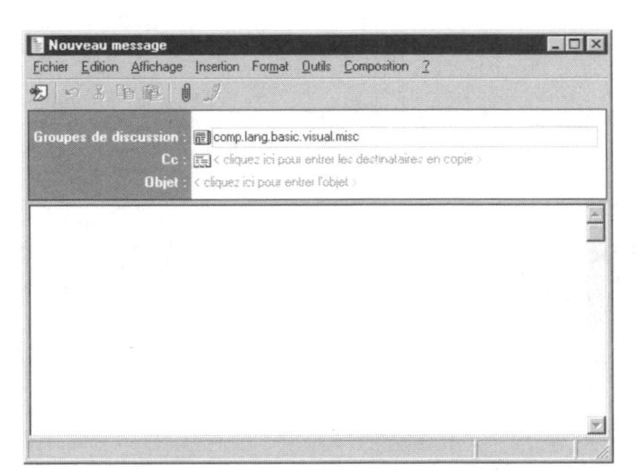

Figure 8.10 : Envoi d'un nouveau message à un groupe de nouvelles.

Inclure un fichier binaire ou une image dans un message

Vous pouvez placer des images et des fichiers binaires inclus dans vos messages. Pour pouvoir transiter par la messagerie électronique, ces données sont préalablement transformées en utilisant le codage UUENCODE ou MIME. Elles sont automatiquement converties au format original par le programme de courrier électronique ou le lecteur de nouvelles de vos correspondants.

Pour placer une image dans un message, lancez la commande Image dans le menu Insertion et spécifiez l'image à insérer. Pour placer un fichier binaire inclus dans un message, lancez la commande Pièce jointe de fichier dans le menu Insertion et précisez le nom du fichier binaire à joindre. C'est aussi simple que cela !

Une règle de comportement essentielle

Lorsque vous envoyez un message à un groupe de nouvelles, ayez toujours à l'esprit que plusieurs centaines, voire plusieurs milliers de personnes peuvent le lire. Il est donc conseillé de mesurer vos propos. Lorsque vous écrivez un message, vos lecteurs n'ont aucune idée de votre état d'esprit. Soyez vigilant sur le ton utilisé. Vos propos censés être amusants peuvent être jugés arrogants ou offensants par vos lecteurs. Les bagarres dans les groupes de nouvelles sont fréquentes et peuvent aller bien plus loin que vous ne l'imaginez...

En deux mots : soyez aimable. Pour agrémenter vos propos et indiquer votre état d'humeur, n'hésitez pas à inclure des smileys dans vos messages. En voici quelques exemples (pour voir à quoi correspondent ces signes, penchez la tête sur la gauche et imaginez-vous en face d'un visage humain) :

Smiley	Signification
:-(	Je suis mécontent ou désappointé
8-)	J'ai des lunettes
:-<	Je suis très triste
;-)	Clin d'œil
*<|:-)	Par tous les saints
:-&	Je ne sais que dire
:-o	Je suis sous le choc
:-p	Ma langue est coincée

Vous en apprendrez plus sur l'utilisation de ces petites figures en visitant le site **http://members.aol.com/bearpage/smileys.htm** (voir Figure 8.11).

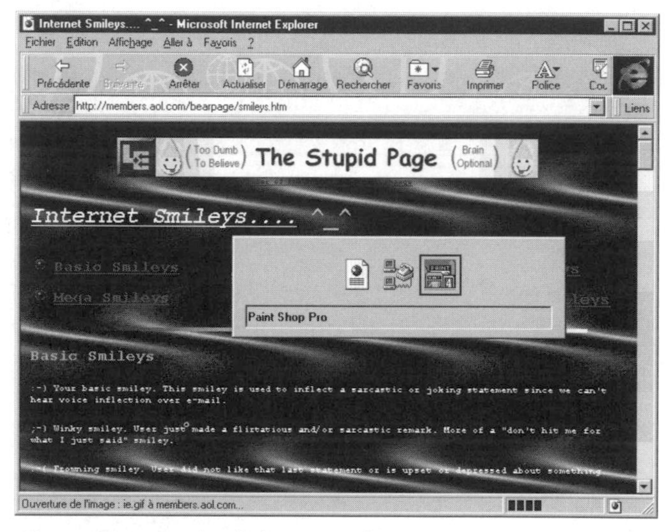

Figure 8.11 : Un site dédié aux smileys.

Accéder à un autre serveur de nouvelles

Il se peut que l'un des groupes de nouvelles qui vous intéresse ne soit pas accessible depuis le serveur de nouvelles de votre fournisseur d'accès. N'ayez crainte, il existe d'autres serveurs de nouvelles publics qui feront certainement l'affaire. Pour en savoir plus, connectez-vous au site **http://www.yahoo.com/News/Usenet/Public_Access_Usenet_Sites** (voir Figure 8.12).

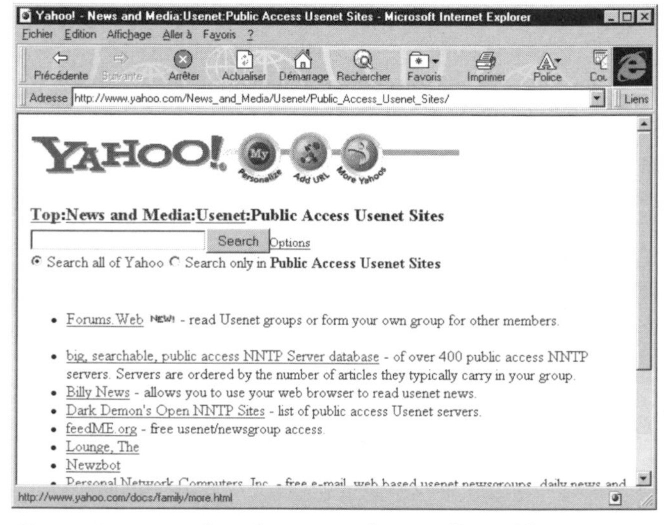

Figure 8.12 : Une liste de serveurs de nouvelles publics.

Lorsque vous aurez trouvé l'adresse d'un site qui semble donner accès aux groupes de nouvelles qui vous intéressent, vous devrez créer un nouveau compte de nouvelles. Lancez l'application Outlook Express News puis sélectionnez la commande Comptes dans le menu Outils. Appuyez sur Ajouter et sélectionnez News dans le menu contextuel. Cette action provoque l'activation de l'assistant de connexion Internet. Définissez les paramètres du nouveau serveur de nouvelles et abonnez-vous aux groupes de nouvelles qui vous intéressent. Lorsque l'opération sera terminée, une nouvelle icône symbolisant le nouveau serveur de nouvelles apparaîtra dans le volet gauche d'Outlook Express. Vous pourrez visualiser ces groupes de nouvelles et vous y abonner comme si le serveur était établi chez votre fournisseur d'accès.

Heure 9

La téléconférence Netmeeting

Au sommaire de cette heure

- Lancement et paramétrage de NetMeeting
- Engager une conversation
- Le tableau blanc
- Echanger des fichiers

NetMeeting est un outil fabuleux. Il permet à deux ou plusieurs interlocuteurs d'échanger des informations texte, parlées et/ou vidéo sur l'Internet ou sur votre intranet. Dans cette neuvième heure, vous allez apprendre à paramétrer et à utiliser NetMeeting pour établir des contacts avec des personnes situées aux quatre coins de la planète.

Lancement et paramétrage de NetMeeting

Deux méthodes permettent d'accéder à NetMeeting. Vous pouvez utiliser :

- le menu Démarrer ;
- une commande de menu dans Internet Explorer.

Avec le menu Démarrer

Appuyez sur Démarrer, puis sélectionnez Programmes et Microsoft NetMeeting. Si l'entrée Microsoft NetMeeting n'apparaît pas dans le menu Programmes, cela signifie que vous avez installé la version Par défaut ou Recommandée de la suite Internet Explorer. Seule la version Complète donne accès à NetMeeting. Voici comment installer le module manquant :

1. Ouvrez le dossier qui contient les fichiers d'installation de la suite.
2. Lancez le fichier IE4SETUPB.EXE pour procéder à un réajustement de la suite sans intégration Web activée, ou le fichier IE4SETUP.EXE pour procéder à un réajustement de la suite avec intégration Web activée.
3. Sélectionnez Installation complète dans la liste déroulante et validez.

Une nouvelle boîte de dialogue est affichée. Vous pouvez choisir de tout réinstaller ou de mettre à jour les éléments qui ont changé depuis la dernière installation. Sélectionnez

Mettre à jour les éléments plus récents et validez pour déclencher l'installation de Microsoft NetMeeting.

Avec une commande de menu

Si Internet Explorer est actif, vous pouvez aussi lancer la commande Appel Internet dans le menu Aller à pour accéder à NetMeeting.

Paramétrage

Lorsque NetMeeting est lancé pour la première fois, un assistant de configuration démarre automatiquement. Vous devez répondre à un ensemble de questions avant de pouvoir utiliser NetMeeting.

La deuxième boîte de dialogue de l'assistant demande si vous voulez-vous connecter à un serveur d'annuaire au lancement de NetMeeting. Pour faire vos premiers essais, vous avez tout intérêt à utiliser ce point de rendez-vous où des internautes de tout pays se connectent afin d'échanger des messages textes, parlés et/ou vidéos. Activez donc la case Connexion à un Serveur d'annuaire au démarrage pour faire vos premier essais et choisissez l'un des serveurs d'annuaires proposés dans la liste déroulante. Ce serveur sera contacté dès le lancement de NetMeeting. Par la suite, vous pourrez bien entendu choisir un autre serveur ou contacter directement une personne qui est reliée de façon permanente à l'Internet (voir Figure 9.1).

Dans la boîte de dialogue suivante, vous devez entrer vos coordonnées personnelles : nom, adresse e-mail, ville et pays.

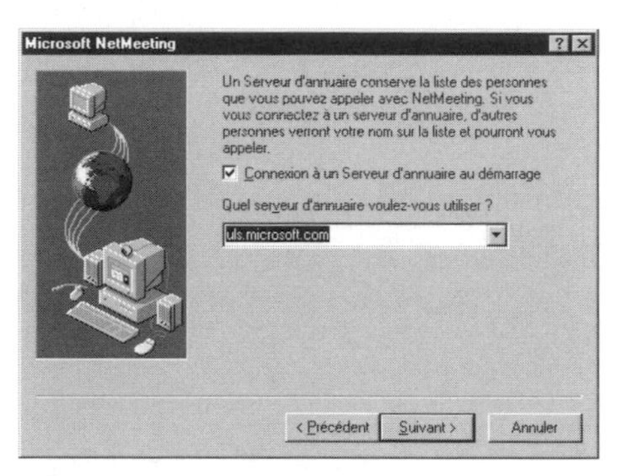

Figure 9.1 : Utilisation d'un serveur d'annuaire à la connexion.

Après avoir spécifié le type de connexion réseau utilisée et éventuellement la vitesse d'accès du modem, vous devez procéder à un réglage audio. Appuyez sur Démarrer l'enregistrement et lisez le texte affiché dans la boîte de dialogue.

Lorsque le paramétrage est terminé, NetMeeting est automatiquement lancé et se connecte au serveur d'annuaire spécifié par défaut. Après l'établissement de la connexion, la fenêtre de Netmeeting a l'allure de la Figure 9.2.

La partie centrale de l'écran énumère les personnes connectées au serveur.

Pour chaque personne apparaissent les informations suivantes :

- Indicateur de conversation (une étoile rouge indique que la personne a déjà engagé une conversation).
- Adresse e-mail.
- Possibilités audio et/ou vidéo.

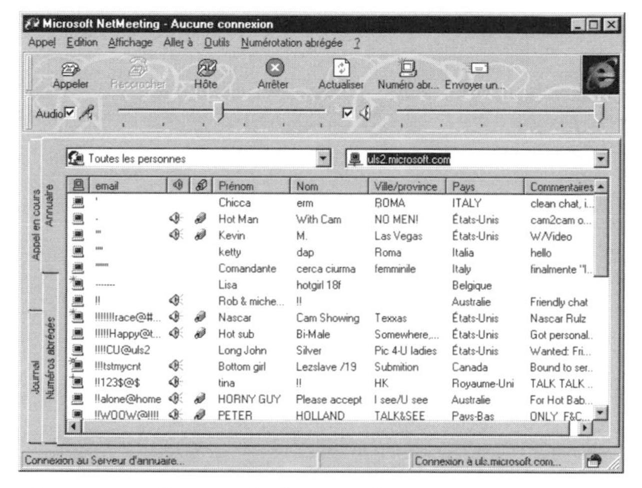

Figure 9.2 : Un exemple de connexion.

- Nom et prénom du correspondant.
- Ville et Pays d'appel.
- Commentaires éventuels.

Avant de contacter un interlocuteur, nous allons donner quelques détails sur la fonction des divers éléments affichés dans la fenêtre de NetMeeting.

La barre d'outils donne accès aux fonctions les plus courantes de NetMeeting.

Remarquez en particulier :

- Le bouton Appeler qui tente d'entrer en communication avec la personne sélectionnée dans la liste.

- Le bouton Raccrocher qui met fin à la communication courante.
- Le bouton Hôte qui lance une conférence où plusieurs personnes peuvent vous rejoindre pour échanger textes, images, sons, vidéos et fichiers.

Les deux curseurs en dessous de la barre d'outils permettent de régler le niveau d'entrée du microphone et le volume de sortie du haut-parleur.

La partie gauche de la fenêtre contient quatre onglets :

- L'onglet Annuaire dresse la liste des personnes connectées au serveur d'annuaire.
- L'onglet Journal contient la liste des personnes que vous avez tenté de contacter.
- L'onglet Appel en cours contient le nom de vos correspondants.
- Enfin, l'onglet Numéros abrégés est un annuaire dans lequel vous pouvez enregistrer les coordonnées de certains correspondants avec la commande Ajouter un numéro abrégé dans le menu Numérotation Abrégée.

Engager une conversation

Pour contacter une des personnes listées dans l'annuaire, il suffit de double-cliquer sur son nom. Vous pouvez aussi appuyer Appeler de la barre d'outils ou lancer la commande Nouvel appel dans le menu Appel après avoir sélectionné votre correspondant dans la liste.

Si la personne que vous cherchez à contacter veut bien répondre, une conversation peut s'engager (voir Figure 9.3).

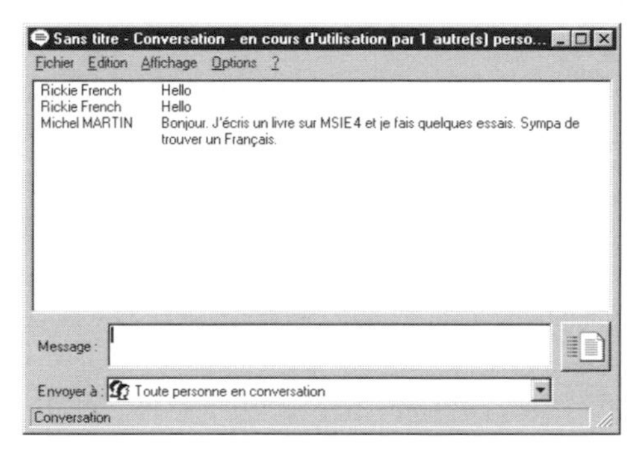

Figure 9.3 : Un exemple de conversation texte.

En convenant d'un jour et d'une heure d'appel, vous pouvez aussi contacter un autre internaute sans passer par un serveur d'annuaire. Lancez la commande Nouvel appel dans le menu Appel. Définissez l'adresse de votre correspondant et sélectionnez le mode d'appel Réseau (TCP/IP). Si votre correspondant est en ligne, vous pourrez engager une conversation.

L'utilisation de NetMeeting pour joindre un correspondant étranger est très intéressante d'un point de vue financier, car chacun des correspondants ne paie qu'une communication locale.

Pour engager une conversation texte, lancez la commande Conversation dans le menu Outils ou appuyez sur Ctrl-T. Pour engager une conversation parlée et/ou vidéo, cliquez à droite sur le nom de votre correspondant et sélectionnez

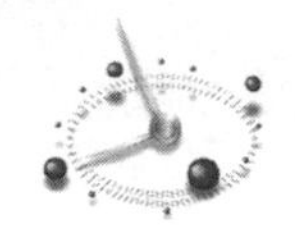

la commande Envoyer audio et vidéo dans le menu contextuel. Avec un peu de chance, vous pourrez échanger paroles et images avec une personne située à l'autre bout de la planète.

Si vous désirez ouvrir un canal de conversation partageable par les autres personnes connectées au serveur d'annuaire, appuyez simplement sur Hôte et attendez. Il est probable que vous soyez contacté par un interlocuteur faisant des essais comme vous. Lors de mon dernier essai de fonctionnement en mode hôte, j'ai été contacté au bout de quelques minutes seulement par une personne résidant aux Philippines qui expérimentait un nouveau soft de vidéo-conférence nommé ... Microsoft NetMeeting. Le monde est vraiment petit !

Le tableau blanc

Si vous le souhaitez, vous pouvez utiliser un tableau blanc dans une conversation ou une conférence pour échanger des informations dessinées en temps réel. Pour cela, lancez la commande Tableau blanc dans le menu Outils ou appuyez sur Ctrl-W (voir Figure 9.4).

Comme vous le voyez, les outils de dessin sont très classiques. Vous ne devriez avoir aucun mal à utiliser le tableau blanc de NetMeeting si vous avez déjà utilisé un autre programme de dessin bitmap, comme Paint par exemple.

Si vous demandez l'affichage du tableau blanc à l'intérieur d'une conférence, il est automatiquement affiché

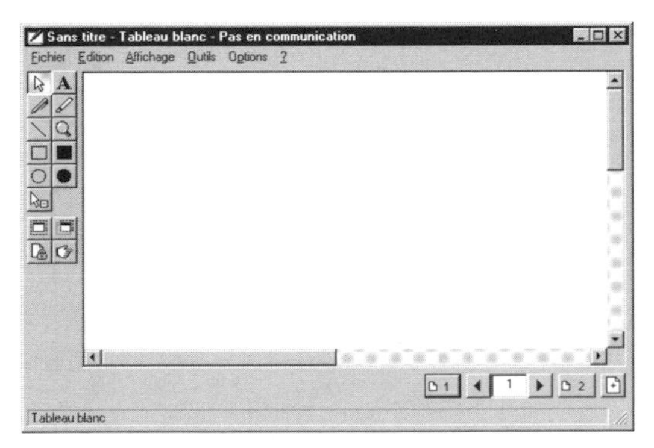

Figure 9.4 : Utilisation d'un tableau blanc pour communiquer.

sur les ordinateurs de tous les autres participants. Chacun peut alors montrer ses talents d'illustrateur. Les éléments dessinés sont transmis en temps réel à tous les membres de la discussion.

ECHANGER DES FICHIERS

Vous pouvez utiliser NetMeeting pour envoyer des fichiers quelconques à vos correspondants sans pour autant interrompre le dialogue texte/audio/vidéo en cours.

Pour envoyer un fichier à la personne avec qui vous avez établi une liaison, lancez la commande Transfert de fichiers dans le menu Outils et indiquez le fichier à envoyer. Vous pouvez aussi cliquer à droite sur le nom du correspondant et sélectionner Envoyer un fichier dans le menu contextuel.

Les fichiers reçus de vos correspondants sont stockés dans un dossier particulier qui est visualisable avec la commande Transfert de fichiers/Ouvrir le dossier Fichiers reçus dans le menu Outils.

Heure 10

Création de pages Web

Au sommaire de cette heure

- Le langage HTML, base de toutes les pages Web
- Présentation de Microsoft FrontPad
- Un exemple de réalisation
- Définir une page de démarrage personnelle
- Publier vos pages sur le Web

Créer son site Web est à la portée de tout le monde. Dans cette heure, vous allez faire connaissance avec le langage HTML, qui est à la base de tout site Web et avec l'outil FrontPad destiné à faciliter la création de pages HTML. Cette application fait partie de la suite Internet Explorer 4.0. Comme vous le constaterez, il n'est pas nécessaire de posséder des talents de programmeur pour l'utiliser et réaliser des pages Web dignes des sites les plus célèbres.

Le langage HTML, base de toutes les pages Web

Les documents qui circulent sur le Web sont écrits à l'aide d'un langage de description de pages appelé HTML (*HyperText Markup Language*, soit en français, Langage à base de marqueurs hypertexte). Comme son nom laisse présager, ce langage repose sur un certain nombre de marqueurs. Ces derniers sont facilement repérables, car encadrés des signes < et >.

Par exemple, l'élément TITLE est un simple texte alors que l'élément <TITLE> est un marqueur.

Les marqueurs sont indépendants de la casse. Il est donc possible d'utiliser indifféremment des caractères majuscules ou minuscules pour y faire référence. A titre d'exemple, les deux marqueurs ci-après sont équivalents :

```
<HTML>
<html>
```

Certains marqueurs nécessitent un ou plusieurs arguments. Ces derniers sont placés à la suite du nom du marqueur, avant le signe >. Par exemple dans :

```
<P ALIGN = CENTER>
```

Voici la trame d'une page HTML minimale qui se contente d'afficher un titre dans la barre de titre du navigateur et un message texte dans la partie centrale du navigateur.

```
<HTML>
<HEAD>
<TITLE>

Un document HTML élémentaire

</TITLE>
</HEAD>
<BODY>

Ce texte est affiché par la section BODY du document.

</BODY>
</HTML>
```

La Figure 10.1 représente ce document visualisé dans Internet Explorer 4.0.

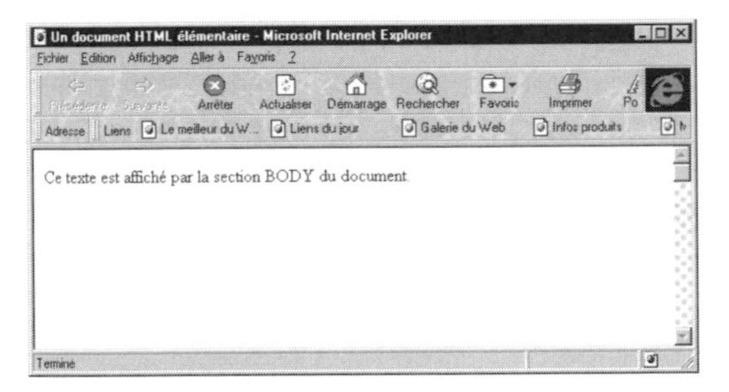

Figure 10.1 : Visualisation d'un document HTML élémentaire.

Comme vous pouvez le remarquer, les documents HTML reposent sur l'utilisation d'éléments textuels. Il est donc possible de les définir et de les éditer à l'aide d'un simple éditeur de texte, par exemple, le bloc-notes de Windows 95 ou n'importe quel autre éditeur de texte capable de sauvegarder des fichiers au format texte. Les documents HTML ainsi générés doivent être sauvegardés avec une extension .HTM ou .HTML. Si vous utilisez un traitement de texte évolué, par exemple, WordPad ou Word pour Windows, sauvegardez vos documents HTML au format "texte seulement", sans quoi, Internet Explorer ne pourra pas interpréter leur contenu.

Le langage HTML comporte un grand nombre de marqueurs. La description du langage HTML dépasse le cadre de cet ouvrage. Mais si le sujet vous intéresse, je vous conseille l'excellent cours on line en français de Gilles Maire. Ce cours est librement accessible à l'adresse ***http://www.imaginet.fr/~gmaire/html32.htm#0****.*

Si le langage HTML est la base de tous les documents Web, il est vrai qu'il s'adresse avant tout à un public de spécialistes et de développeurs. Comme vous allez le voir dans la section suivante, il n'est pas nécessaire de programmer en HTML pour concevoir des pages Web. Des outils particulièrement pratiques sont là pour vous mâcher le travail. Un de ces outils, très simple à utiliser, est fourni avec la suite Internet Explorer : Microsoft FrontPad.

Présentation de Microsoft FrontPad

Si Microsoft FrontPad est inaccessible depuis le dossier Suite Internet Explorer (commande Démarrer/Programmes/Suite Internet Explorer), cela signifie que vous avez procédé à une installation par défaut de la suite Internet Explorer.

Vous devez opter pour une installation recommandée ou complète (reportez-vous à la deuxième heure de cet ouvrage pour en savoir plus). Rassurez-vous, seuls les éléments manquants viendront compléter l'installation par défaut, et les modules déjà installés ne seront aucunement perturbés par cette nouvelle installation.

FrontPad est un éditeur de pages Web wysiwyg (what you see is what you get, que l'on pourrait traduire par conception des pages telles qu'elles seront affichées sur le Web). Grâce à cette application, il n'est plus nécessaire de manipuler des codes HTML : les éléments textes, hypertexte, graphiques, sonores et vidéo sont simplement placés sur l'écran, comme on le ferait dans un traitement de texte. Il suffit de les déposer sur la zone de travail de FrontPad en adoptant la disposition finale qu'ils devront avoir une fois postés sur le Web.

Pour accéder à Microsoft FrontPad, cliquez Démarrer et sélectionnez les éléments suivants : Programmes, Suite Internet Explorer puis FrontPad. L'écran se présente comme dans la Figure 10.2 :

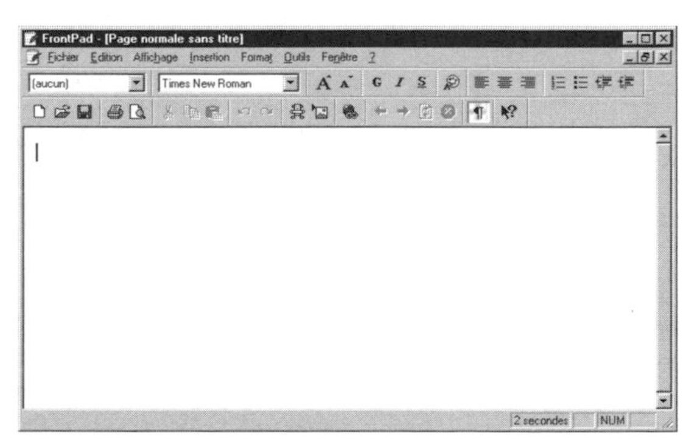

Figure 10.2 : L'écran de base de Microsoft FrontPad.

Les commandes et barres d'outils de FrontPad sont très classiques. Si vous avez déjà utilisé un traitement de texte tel que WordPad ou Word, vous connaissez presque tout de WordPad.

Dans la barre d'outils de mise en forme, remarquez les icônes qui permettent :

- d'augmenter et de diminuer la taille des caractères ;
- d'affecter des attributs au bloc de texte sélectionné (gras, italique, souligné, couleur) ;
- de définir l'alignement des paragraphes sélectionnés (aligné à gauche, centré, aligné à droite) ;
- de numéroter, de placer des puces et de définir des retraits.

Un exemple de réalisation

La Figure 10.3 représente un exemple élémentaire de page Web.

Le texte a été mis en forme avec la barre d'outils Mise en forme. L'image BMP provient du répertoire d'installation de Windows 95. Elle a été placée sur la page avec la commande Image dans le menu Insertion.

Le lien hypertexte a été placé sur le texte Yahoo.fr avec la commande Lien dans le menu Insertion (voir Figure 10.4).

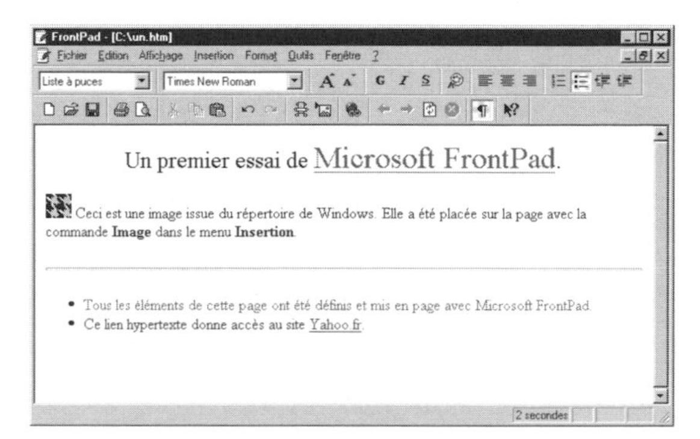

Figure 10.3 : Un exemple de page Web créée dans FrontPad.

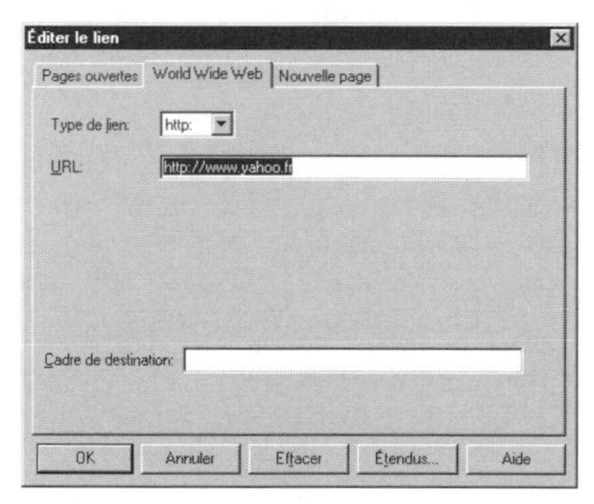

Figure 10.4 : Définition d'un lien hypertexte.

La page Web ainsi définie a été sauvegardée sur disque avec la commande Enregistrer dans le menu Fichier. Voici, à titre d'information le fichier HTML généré par FrontPad :

```
<!DOCTYPE HTML PUBLIC "-//IETF//DTD HTML//EN">
<html>

<head>
<meta http-equiv="Content-Type"
```

```
content="text/html; charset=iso-8859-1">
<meta name="GENERATOR" content="Microsoft FrontPad
2.0">
<title>Un premier essai de Microsoft FrontPad.</
title>
</head>

<body bgcolor="#FFFFFF">

<p align="center"><font size="5">Un premier essai de
</font><fontcolor="#FF0000" size="6"><u>Microsoft
FrontPad</u></font><fontsize="5">.</font></p>

<p><img src="Pied-de-poule.gif" width="27"
height="25"> Cela est une image issue du répertoire
de Windows. Elle a été placée sur la page avec la
commande <strong>Image
</strong> dans le menu <strong>Insertion</strong>.</
p>

<hr>

<ul>
    <li><font color="#008000">Tous les éléments de
        cette page ont été définis et mis en page
avec
        Microsoft FrontPad.</font></li>
    <li>Ce lien hypertexte donne accès au site <a
        href="http://www.yahoo.fr">Yahoo.fr</a>.</li>
</ul>
</body>
</html>
```

La Figure 10.5 représente ce document affiché dans Internet Explorer. Comparez cette figure avec la Figure 10.3 et avouez que l'on peut réellement parler de wysiwyg.

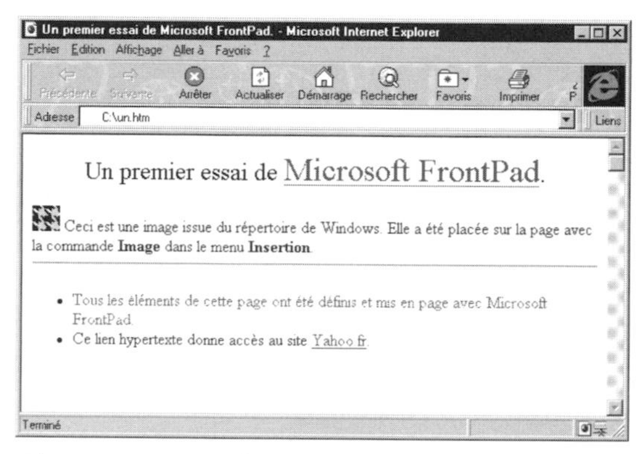

Figure 10.5 : Visualisation de la page générée dans Internet Explorer.

Définir une page de démarrage personnelle

En utilisant FrontPad, il est très simple de créer une page de démarrage locale (c'est-à-dire stockée sur votre disque dur) qui sera affichée à chaque lancement d'Internet Explorer.

Vous placerez dans cette page des liens vers tous les sites auxquels vous vous connectez souvent. Rappelons la démarche permettant de définir un lien hypertexte dans FrontPad :

1. Entrez le texte correspondant au lien et sélectionnez-le.
2. Lancez la commande Lien dans le menu Insertion.
3. Dans la boîte de dialogue Créer un lien, entrez le type (**http:**, **ftp:**, **mailto:**, etc.) et l'URL du lien.

Lorsque la page de démarrage est créée, sauvegardez-la sur votre disque dur avec la commande Enregistrer dans le menu Fichier. Démarrez Internet Explorer. Lancez la commande Options dans le menu Affichage. La définition de la page de démarrage se fait sous l'onglet Exploration. Entrez simplement le chemin contenant le document HTML à utiliser dans la zone de texte Adresse et validez. Dès lors, la nouvelle page de démarrage sera affichée à chaque lancement d'Internet Explorer (voir Figure 10.6).

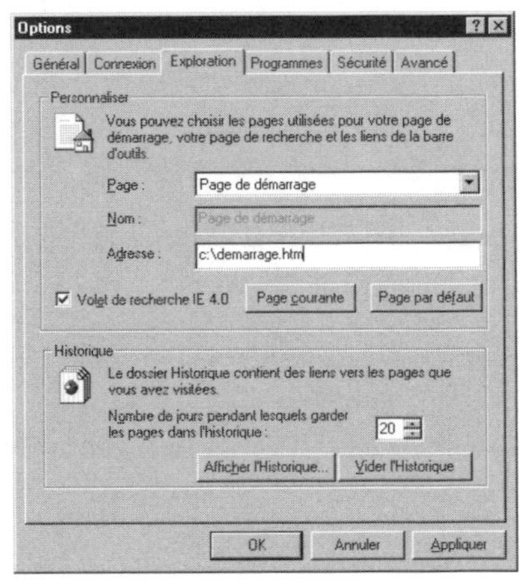

Figure 10.6 : Définition d'une page de démarrage personnelle.

Publier vos pages sur le Web

Si vous avez conçu des pages contenant des informations intéressantes, pourquoi ne pas les rendre accessibles au reste de la planète en les plaçant sur le Web ? D'autant plus que cette opération est en général gratuite (jusqu'à une certaine quantité de données) et très simple. Contactez votre fournisseur d'accès qui vous donnera toutes les informations nécessaires, et en particulier l'adresse URL à laquelle vous devez poster vos données.

Pour faire connaître votre œuvre, vous devez maintenant indiquer la naissance d'un nouveau site à un ou plusieurs moteurs de recherche Web (certains moteurs de recherche, comme Lycos par exemple, sont capables de détecter automatiquement les nouveaux sites et de renseigner leur base de données en consultant les autres moteurs de recherche). Après vous être connecté à un site de recherche de votre choix, recherchez le lien hypertexte qui permettra de décrire votre serveur (voir Figure 10.7).

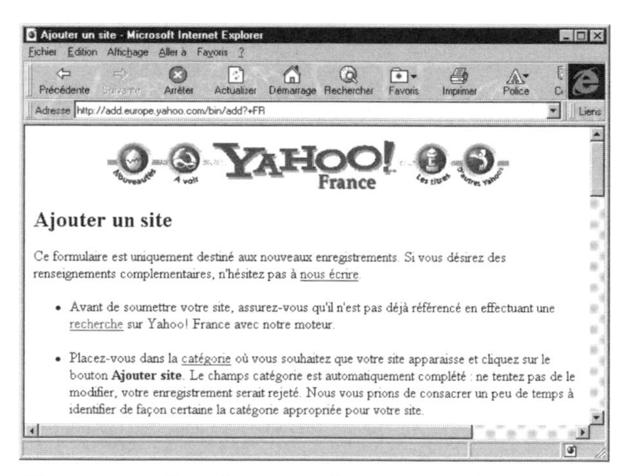

Figure 10.7 : Enregistrement d'un nouveau site sur le serveur Yahoo.fr.

Heure 11

Les technologies de pointe

Au sommaire de cette heure

- Poste de travail et Explorateur Windows
- Microsoft NetShow
- Saisie automatique d'URL
- Abonnements
- Active Desktop
- Nouveau menu Démarrer orienté Web
- Nouvelle barre des tâches
- Des barres d'outils dans la barre des tâches

Lors de la conception de la suite Internet Explorer 4.0, Microsoft à tenté de répondre aux attentes des utilisateurs en abordant les questions suivantes :

- Comment faciliter et rendre moins fastidieuse la recher-cher d'informations sur l'Internet.
- Comment limiter les problèmes liés à une trop faible bande passante et ainsi rendre plus agréable la navigation.
- Comment accéder simplement aux technologies les plus modernes : Java, ActiveX, pages Web dynamiques (Dynamic HTML), effets multimédias (sprites, effets, animations, contrôle musical interactif, mixage de fichiers sons, zones sensibles, etc.), prise en charge des transactions sécurisées SSL et PCT, etc.
- Comment établir des liens plus intimes entre les outils et les méthodes d'exploration du Web et d'utilisation de l'ordinateur.

Ces questions ont débouché sur un certain nombre d'améliorations de la version 3.0 d'Internet Explorer et d'extensions sous la forme de programmes satellites.

Cette onzième heure est consacrée à l'analyse de ces améliorations.

Poste de travail et Explorateur Windows

Le Poste de travail et l'Explorateur Windows peuvent désormais être utilisés pour accéder à une adresse sur le Web (voir Figure 11.1).

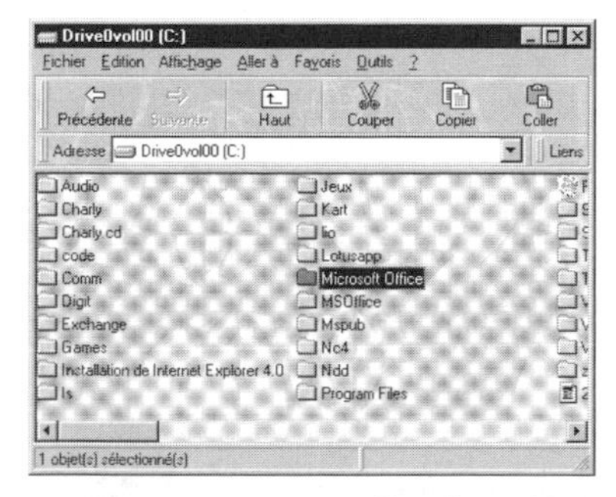

Figure 11.1 : La nouvelle allure du Poste de travail.

Sous la barre de menus, remarquez la nouvelle barre d'outils, fort proche de celle d'Internet Explorer, et la barre d'adresses qui peut servir à spécifier un disque, un dossier ou... une adresse Web. Dans ce dernier cas, Internet Explorer prend immédiatement la place du Poste de travail et affiche le contenu de la page Web spécifiée (voir Figure 11.2).

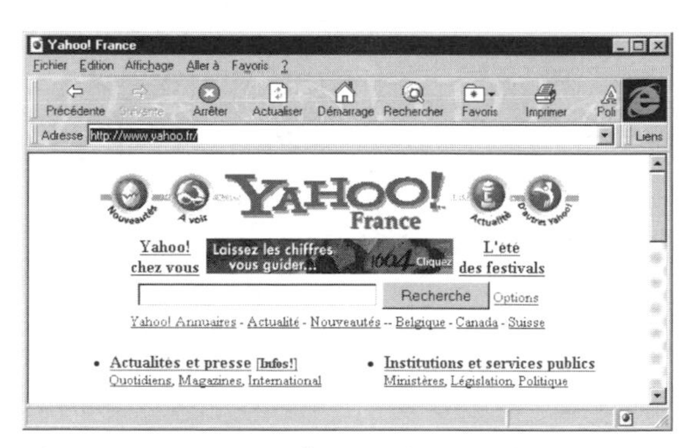

Figure 11.2 : Le Poste de travail se transforme en Internet Explorer.

Remarquez aussi le bouton Liens dans la partie droite de la barre d'adresses qui permet d'accéder aux sites les plus souvent utilisés.

L'Explorateur de fichiers a aussi subi les mêmes modifications. Notez que seul le volet droit est utilisé pour afficher les données lues sur le Web (voir Figure 11.3).

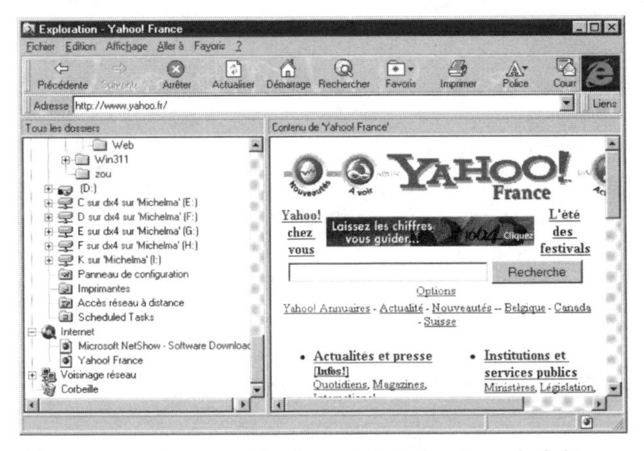

Figure 11.3 : La nouvelle allure de l'Explorateur de fichiers.

Microsoft NetShow

Le contrôle ActiveX Netshow permet de visualiser des émissions audio et/ou vidéo au fur et à mesure de leur chargement, sans attendre qu'elles soient totalement rapatriées sur le disque dur. Pour ce faire, l'affichage et le téléchargement s'exécutent en parallèle. Ce contrôle fait partie intégrante d'Internet Explorer 4.0. Il est donc automatiquement activé lorsque des émissions audio/vidéo compatibles NetShow sont disponibles sur un site Web. NetShow vient concurrencer les technologies VDOLive et RealVideo déjà disponibles depuis plusieurs mois. Il est impossible aujourd'hui de savoir si ces technologies vont cohabiter ou s'auto-éliminer. L'avenir nous en apprendra plus...

Pour avoir un aperçu des possibilités de NetShow, vous pouvez-vous connecter à un site de démonstration de Microsoft. Après avoir lancé NetShow (cliquez sur Démarrer, puis sélectionnez Programmes, Suite Internet Explorer et NetShow Player), lancez la commande Ouvrir le site. Tapez l'adresse **mms://msnetshow.microsoft.com/nsoteach.asf** dans la zone de texte Ouvrir et validez (voir Figure 11.4).

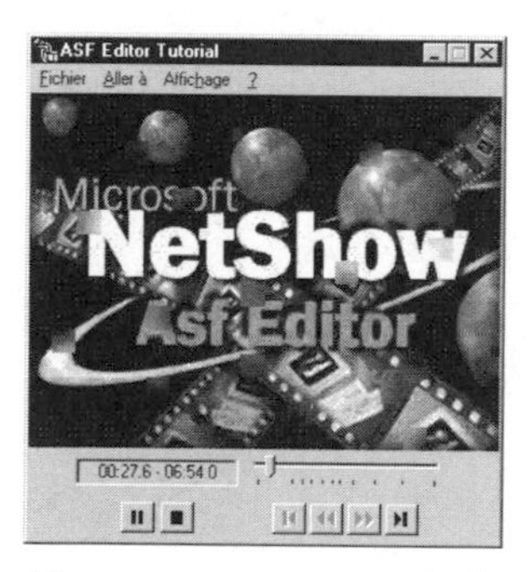

Figure 11.4 : Un exemple de visualisation Netshow.

Pour en savoir plus sur la technologie utilisée par NetShow, connectez-vous au site Web d'adresse **http://www.microsoft.com/netshow/**.

Ce site est directement accessible à partir de la fenêtre de NetShow avec la commande Page d'accueil NetShow dans le menu Aller à.

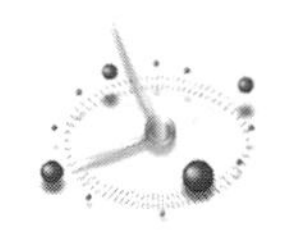

Vous pouvez aussi télécharger la dernière version de NetShow en vous connectant au site d'adresse **http://www.microsoft.com/netshow/downloadf.htm/**.

Ce site est directement accessible à partir de la fenêtre de NetShow avec la commande Mises à jour du logiciel NetShow dans le menu Aller à.

Saisie automatique d'URL

La version 4.0 d'Internet Explorer aide à saisir les URL dans la barre d'adresses. Lorsque vous tapez un URL dans la barre d'adresses, Internet Explorer consulte sa base d'adresses et termine éventuellement la saisie à votre place.

Vous pouvez aussi cliquer à droite dans la barre d'adresses pour afficher un menu contextuel qui donne accès à d'autres variantes déjà visitées de l'URL courant.

Ces nouvelles capacités de saisie automatique sont à rapprocher de la technologie IntelliSense mise en œuvre dans les produits Microsoft Office.

Abonnements

Si, comme la plupart des internautes, vous passez beaucoup de temps à consulter les mêmes sites, une nouvelle caractéristique d'Internet Explorer devrait certainement vous intéresser. En définissant un "abonnement" à un site particulier, Internet Explorer est en mesure de vérifier automatiquement et de façon transparente si les données qui le composent ont été modifiées. Dans l'affirmative, les nouvelles données sont rapatriées sur votre ordinateur afin que vous puissiez les consulter.

Pour définir un nouvel abonnement, connectez-vous à un site puis lancez la commande Ajouter aux Favoris dans le menu Favoris. Cette commande provoque l'affichage de la boîte de dialogue Ajouter aux Favoris. En activant la case S'abonner au téléchargement, les modifications intervenant sur le site Web sont surveillées. Il est possible de planifier la fréquence et les modalités de la mise à jour (voir Heure 3).

Active Desktop

Internet Explorer introduit une nouveauté de taille : les chaînes actives souvent désignées par le terme Active Desktop. Avec ce système, le bureau de Windows devient un support Web. En d'autres termes, vous pouvez y déposer des documents HTML, des composants ActiveX et/ou des applets Java qui seront automatiquement mis à jour de façon continue ou à intervalles réguliers. Les applications de ce nouveau système sont multiples et ont de quoi séduire.

En voici deux exemples :

En déposant sur le bureau de Windows la page Web de Météo France et en demandant une mise à jour quotidienne, vous pourrez connaître la météo du jour dès votre arrivée au bureau.

En déposant sur le bureau de Windows un bandeau (ticker) relié à un site boursier, vous pourrez suivre en direct les évolutions de vos actions. Ce dernier exemple nécessite bien entendu une connexion continue à l'Internet.

Voici comment procéder pour définir une nouvelle chaîne active :

1. Faites un clic droit sur un endroit inoccupé du bureau et sélectionnez Propriétés dans le menu contextuel.
2. Cliquez sur l'onglet Bureau (voir Figure 11.5).
3. Assurez-vous que le bouton radio Afficher les icônes et les objets additionnels suivants est actif.

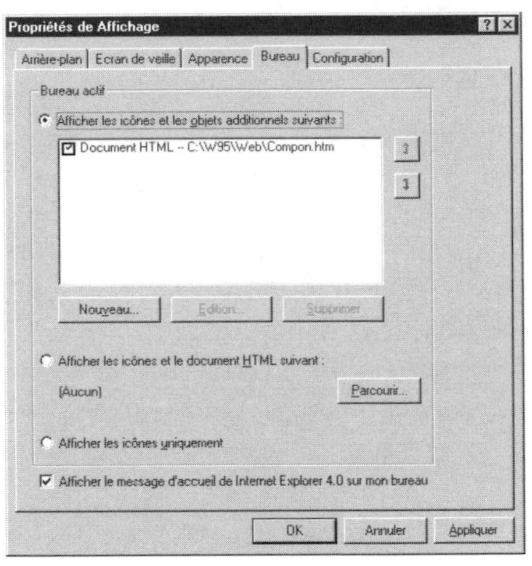

Figure 11.5 : L'onglet Bureau de la boîte de dialogue Propriétés d'Affichage.

4. Appuyez sur Nouveau pour ajouter un site Web ou une image sur le bureau. Précisez l'adresse de ce site, la fréquence et le mode de la mise à jour (voir Figure 11.6).

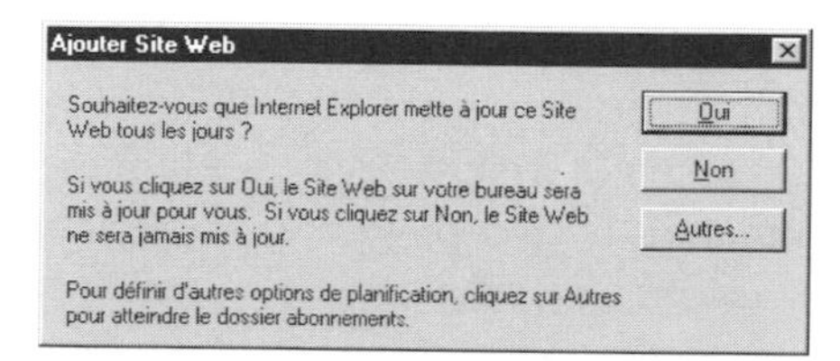

Figure 11.6 : Définition de la fréquence de mise à jour.

Si vous cliquez sur Oui ou sur Autres, la boîte de dialogue Propriétés de Desktop Component est affichée. Utilisez cette boîte de dialogue pour planifier la mise à jour, puis validez.

Internet Explorer vous propose de télécharger immédiatement l'objet qui vient d'être défini. Acceptez. Après une brève connexion, le nouvel objet est déposé sur le bureau (voir Figure 11.7).

Figure 11.7 : Aspect du bureau après le téléchargement d'une nouvelle chaîne active.

Si vous le souhaitez, il est possible de déplacer la chaîne active. Pointez le coin supérieur gauche de sa fenêtre jusqu'à l'apparition d'un pointeur à quatre flèches. Maintenez le bouton gauche enfoncé tout en déplaçant la chaîne active à l'endroit que vous voulez lui voir occuper.

De même, vous pouvez redimensionner la chaîne active. Pointez la partie inférieure droite de sa fenêtre. Redimensionnez la fenêtre comme vous le feriez pour une autre fenêtre Windows non maximisée.

Signalons enfin qu'un clic droit sur une chaîne active affiche un menu contextuel permettant entre autres de définir la chaîne active comme papier peint, d'imprimer la chaîne active ou encore de la mettre à jour (voir Figure 11.8).

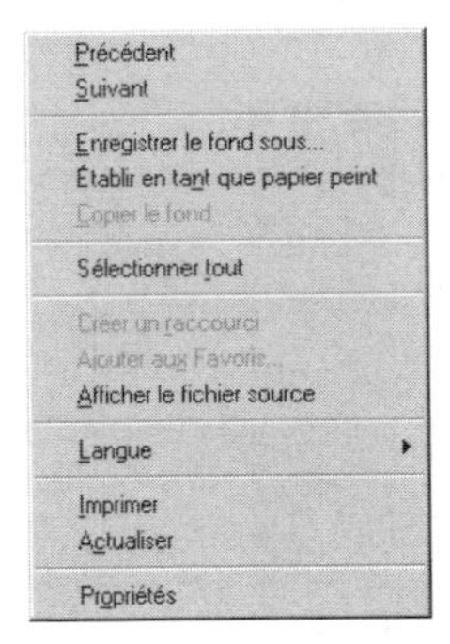

Figure 11.8 : Le menu contextuel d'une chaîne active.

Pour supprimer une chaîne active, procédez comme suit :

1. Faites un clic droit sur un endroit inoccupé du bureau.
2. Choisissez Propriétés dans le menu contextuel.

3. Cliquez sur l'onglet Bureau.
4. Sélectionnez la chaîne active à supprimer dans la zone de liste centrale et appuyez sur Supprimer.
5. Refermez la boîte de dialogue en appuyant sur OK.

Nouveau menu Démarrer orienté Web

Avec la suite Internet Explorer 4.0, Windows a été modifiée pour faciliter l'accès à l'Internet. Les modifications les plus visibles se trouvent dans le menu Démarrer, dans la barre des tâches et sur le bureau de Windows.

Le menu Démarrer a été complété. Il prend désormais en charge certains éléments spécifiques à l'Internet, tels que les sites favoris, la recherche de sites sur le Web et de personnes.

Comme vous pouvez le voir sur la Figure 11.9, le menu Démarrer s'est enrichi de l'entrée Favoris. Sous l'entrée Programmes apparaissent les applications de la suite Internet Explorer 4.0 :

- Microsoft Netshow ;
- Suite Internet Explorer ;
- Carnet d'adresses de Windows ;
- Microsoft NetMeeting ;
- Outlook Express.

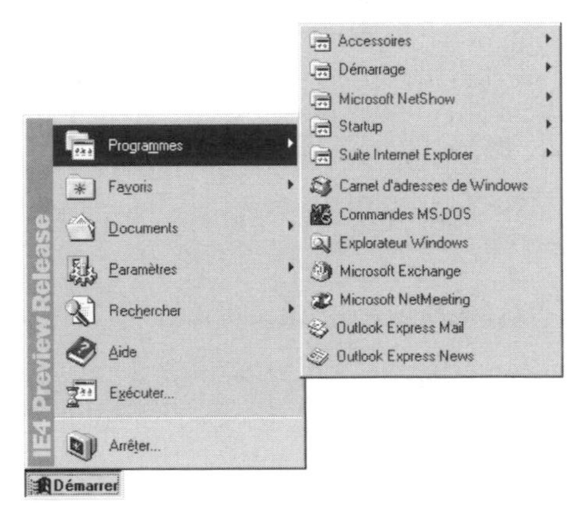

Figure 11.9 : La nouvelle allure du menu Démarrer.

L'entrée Favoris facilite l'accès aux canaux, aux liens importés et aux signets importés (voir Figure 11.10).

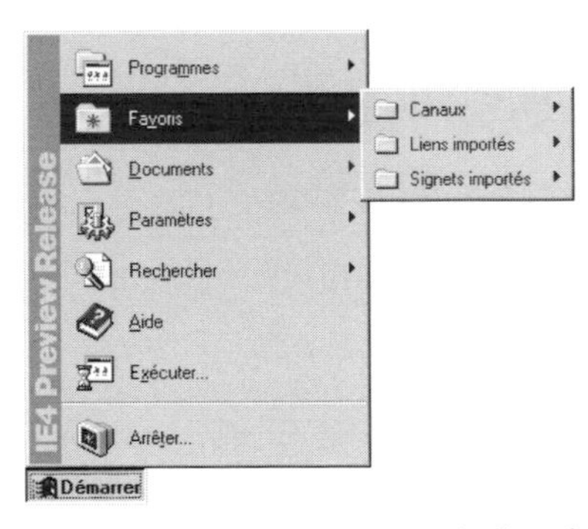

Figure 11.10 : L'entrée Favoris dans le menu Démarrer.

L'entrée Rechercher s'est enrichie de deux nouvelles commandes : Sur Internet et Personnes.

La commande Sur Internet donne accès au site **http://home.microsoft.com/intl/fr/access/alinone.asp.** Ce site permet d'accéder aux principaux sites de recherche Web. Entrez un mot clé dans la zone de texte, sélectionnez un site de recherche puis validez pour obtenir une liste de sites Web en rapport avec le mot clé (voir Figure 11.11).

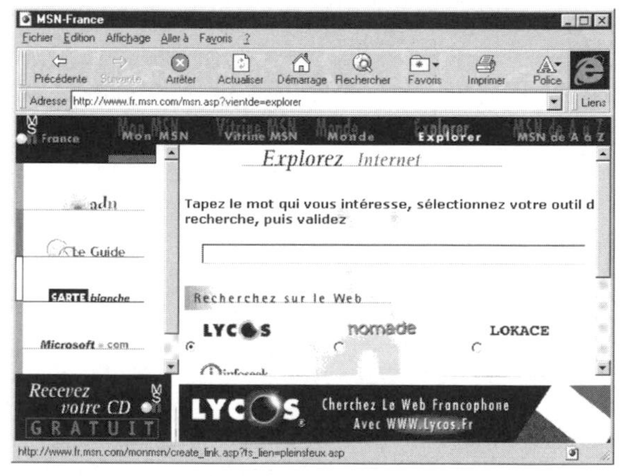

Figure 11.11 : Le site de recherche de Microsoft.

La commande Personnes donne accès à la boîte de dialogue Rechercher des personnes qui permet de trouver les coordonnées d'une personne enregistrée dans le carnet d'adresses de Windows ou dans un base de données d'adresses Internet. Il suffit d'entrer une des informations situées sous le label Chercher pour afficher les personnes correspondantes.

En double-cliquant sur une des entrées de la liste inférieure, vous accédez à des informations plus complètes concernant la personne pointée. Pour faciliter leur lecture, les informations sont regroupées dans cinq onglets : Personnel, Domicile, Bureau, Notes et Certificats (voir Figure 11.12).

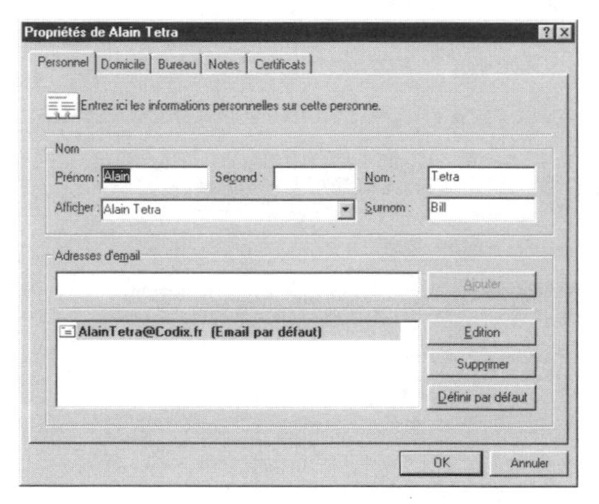

Figure 11.12 : Informations complètes sur une personne.

Remarque :

Grâce à l'intégration Web activée, il est désormais possible de faire glisser un lien hypertexte sur Démarrer. Ce lien est automatiquement ajouté aux entrée du menu Démarrer.

Nouvelle barre des tâches

La partie droite de la barre des tâches contient deux nouvelle icônes (voir Figure 11.13).

L'icône Abonnements permet d'accéder aux sites préférés de l'utilisateur. En cliquant sur cette icône, un menu contextuel à trois options est affiché.

Figure 11.13 : Modifications dans la barre des tâches.

La commande Afficher tous les abonnements affiche une fenêtre dans laquelle tous vos sites Web préférés sont à portée de souris (voir Figure 11.14).

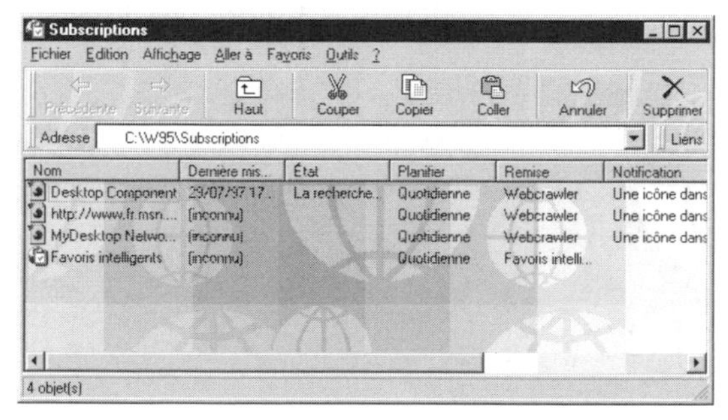

Figure 11.14 : Accès aux sites Web préférés.

La commande Mettre à jour les abonnements maintenant provoque une connexion sur l'Internet et, lorsque cela est nécessaire, une mise à jour des sites Web pour lesquels vous vous êtes abonnés.

Enfin, la commande Propriétés globales des abonnements affiche une boîte de dialogue qui permet de paramétrer le fonctionnement des favoris intelligents.

Onglet Général

Lorsque la case Surveiller les modifications sur mes sites favoris est activée, toute modification intervenue sur l'un des sites Web préférés est automatiquement détectée. Une lumière rouge apparaît alors en regard des sites mis à jour dans la fenêtre Subscriptions.

La case à activer Afficher l'icône de notification sur la barre des tâches règle l'affichage/l'inhibition de l'icône Abonnements dans la barre des tâches (voir Figure 11.15).

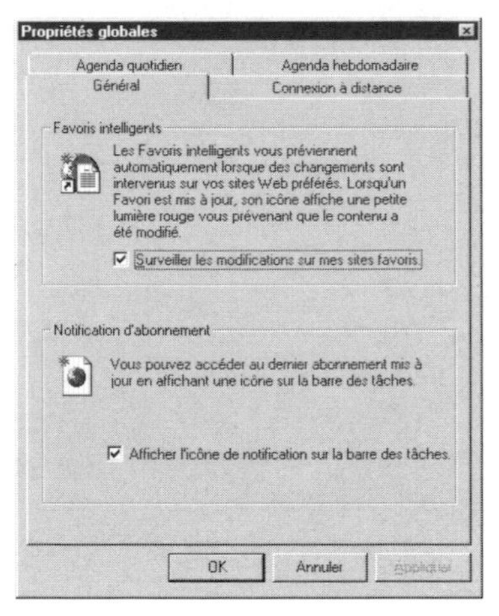

Figure 11.15 : L'onglet Général de la boîte de dialogue Propriétés globales.

Onglet Agenda quotidien

L'onglet Agenda quotidien permet de planifier les mises à jour quotidiennes des sites préférés. Utilisez les deux premières listes déroulantes pour préciser l'horaire de la mise à jour. Privilégiez les plages horaires à faible coût (après 22 heures 30 par exemple) en vous assurant que l'ordinateur est toujours connecté à ces heures-là (voir Figure 11.16).

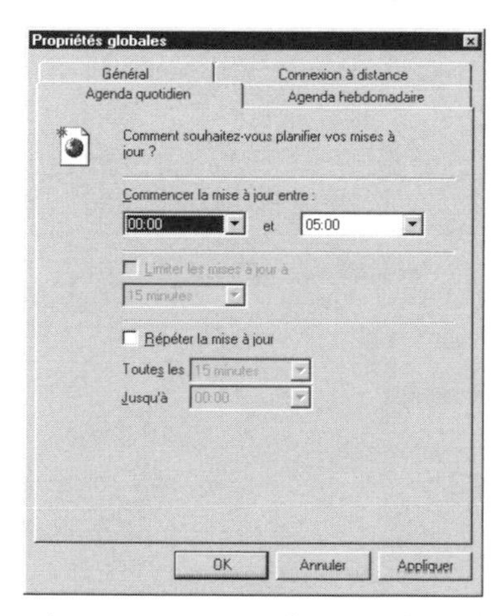

Figure 11.16 : L'onglet Agenda quotidien de la boîte de dialogue Propriétés globales.

Onglet Agenda hebdomadaire

L'onglet Agenda hebdomadaire permet de planifier les mises à jour hebdomadaires des sites préférés. Utilisez les deux premières listes déroulantes pour indiquer la plage horaire de mise à jour et le groupe d'options Mises à jour le pour spécifier le jour de la semaine pendant lequel vous souhaitez effectuer la vérification/mise à jour (voir Figure 11.17).

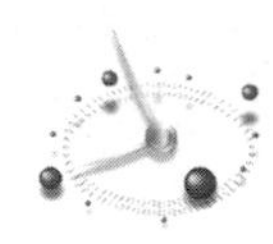

Figure 11.17 : L'onglet Agenda hebdomadaire de la boîte de dialogue Propriétés globales.

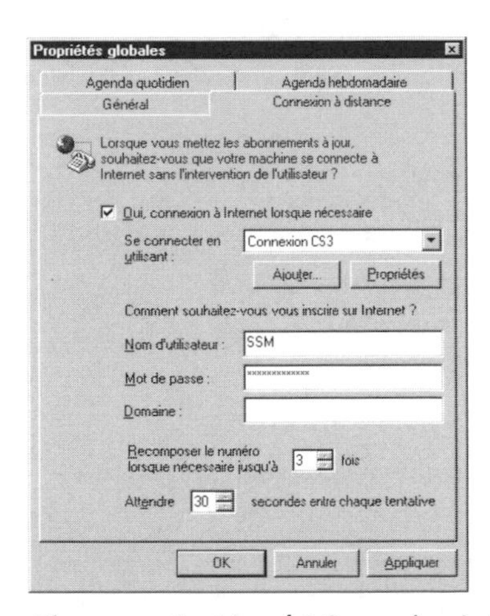

Figure 11.18 : L'onglet Connexion à distance de la boîte de dialogue Propriétés globales.

Onglet Connexion à distance

Si vous le souhaitez, il est possible que les connexions à l'Internet en vue d'une mise à jour se fassent sans aucune intervention extérieure. Pour ce faire, il suffit d'activer la case Oui, connexion à l'Internet lorsque nécessaire sous l'onglet Connexion à distance (voir Figure 11.18).

DES BARRES D'OUTILS DANS LA BARRE DES TÂCHES

Avez-vous essayé de cliquer à droite sur la barre des tâches ? Si oui, vous avez peut-être remarqué la nouvelle option Barre d'outils. Cette option donne accès aux commandes suivantes : Adresse, Liens, Bureau, Lancement rapide, Nouvelle barre d'outils.

La commande Adresse affiche une barre d'adresses dans la barre d'état (voir Figure 11.19).

Figure 11.19 : La barre Adresses.

En utilisant la barre d'adresses, il est désormais possible de demander la connexion à un site depuis le bureau de Windows. Utilisez la liste déroulante pour sélectionner un des derniers sites visités ou tapez directement une adresse URL dans la barre d'adresses. Si les données correspondant au site se trouvent dans le cache disque, elles sont affichées dans Internet Explorer en mode hors connexion. Dans le cas contraire, la boîte de dialogue de connexion est affichée. Appuyez sur de connexion pour afficher les données dans Internet Explorer.

La commande Liens affiche plusieurs icônes dans la barre des tâches (voir Figure 11.20).

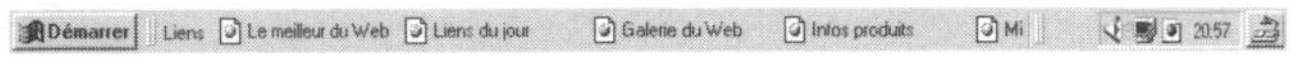

Figure 11.20 : Les icônes de la commande Liens.

Ces icônes sont les mêmes que celles de la barre d'outils Liens de l'Explorateur. Rappelons leur fonction.

- **Le meilleur du Web** Ce bouton permet de se connecter au guide thématique **http://leguide.fr.msn.com/default.asp**. Ce site donne accès à de nombreux sites francophones d'intérêt général.
- **Liens du jour.** Bouton qui donne accès à une liste de liens vers des sites récents dignes d'intérêt.
- **Galerie du Web.** Bouton qui donne accès à la galerie Microsoft sur laquelle vous pouvez télécharger des images, des sons, des contrôles ActiveX, des applets Java, des fontes TrueType et bien d'autres choses encore.
- **Infos produits.** Bouton qui donne accès à un site d'informations sur tous les nouveaux produits Microsoft en rapport avec Internet : dernières versions de l'Explorateur, de NetMeeting, de Microsoft Chat, etc...
- **Microsoft.** Bouton qui provoque la connexion sur la page d'accueil du site Web français de Microsoft. Cette page est le point de départ de nombreuses autres pages dédiées aux produits Microsoft.
- **Bureau.** Commande qui affiche les icônes déposées sur le bureau dans la barre des tâches.

- **Lancement rapide.** Commande qui place les icônes des deux applications principales de la suite Internet Explorer dans la barre des tâches : Outlook Express Mail et Internet Explorer.
- **Nouvelle barre d'outils** Commande qui place tous les fichiers contenus dans un dossier du disque dur ou un dossier distant (situé sur l'Internet) dans la barre des tâches.

Heure 12

Liste de sites à visiter

Vous savez maintenant assez de choses pour voler de vos propres ailes sur le Net. Afin de réduire au maximum la perte de temps liée à la recherche des sites qui vous intéressent, voici quelques points de départ d'intérêt général à partir desquels vous pourrez trouver rapidement les informations dont vous avez besoin.

Recherches sur le Web

Pour rechercher des sites Web, vous utiliserez essentiellement les sites **http://www.yahoo.fr**, **http://www.yahoo.com** et **http://altavista.telia.com/cgi-bin/telia?country=fr&lang=fr** (voir Figure 12.1).

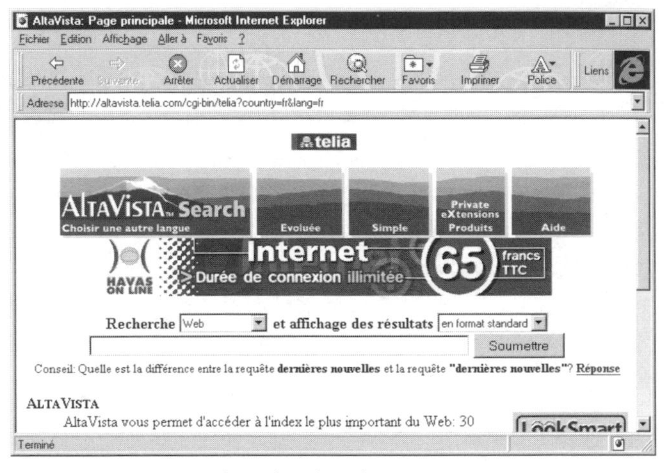

Figure 12.1 : Le site de recherche AltaVista.

Recherches FTP

Pour rechercher les sites FTP qui contiennent un fichier dont vous connaissez le nom, vous utiliserez le site de recherche FTPSearch à l'adresse **http://ftpsearch.cafesurf.co.uk/** (voir Figure 12.2).

Sharewares

Les sites Web et FTP donnant accès à de très nombreux freeware et shareware ne manquent pas. En voici quelques-uns :

ftp://ftp.cdrom.com/pub/games

http://download.com (voir Figure 12.3)

http://shareware.com (voir Figure 12.4)

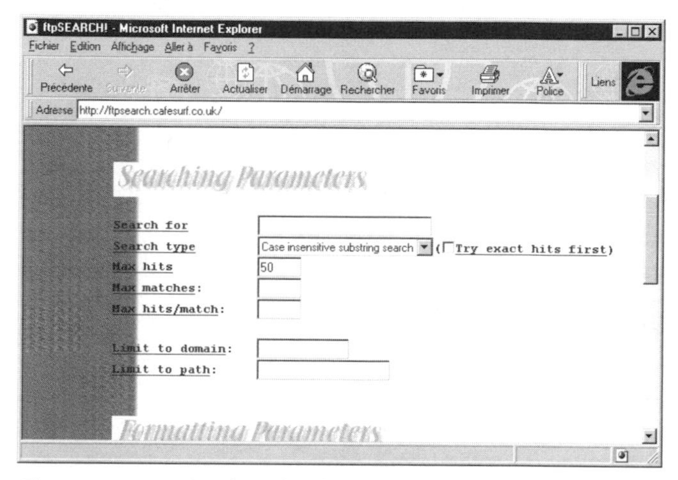

Figure 12.2 : Le site de recherche FTPSearch.

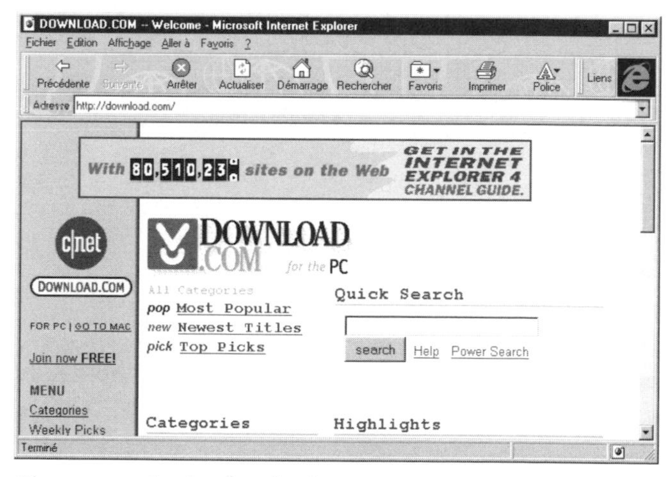

Figure 12.3 : Le site download.com .

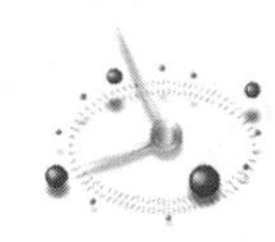

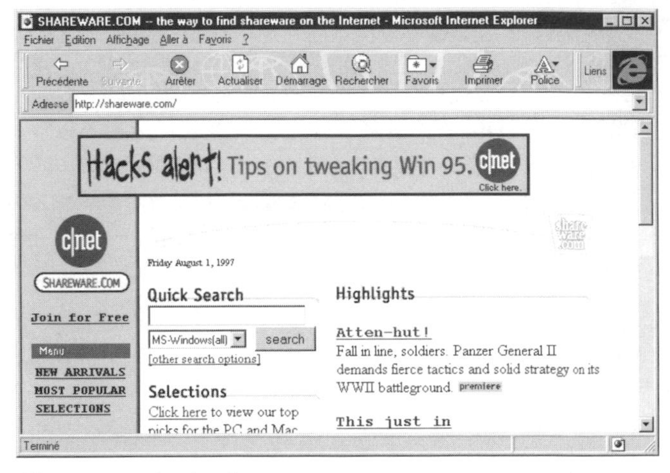

Figure 12.4 : Le site shareware.com.

Sites de constructeurs

Le tableau ci-dessous donne l'adresse URL de quelques grands constructeurs de matériel informatique.

Nom du constructeur	Adresse
Adaptec	**http://www.adaptec.com**
Canon	**http://www.canon.fr**
Compaq	**http://www.compaq.com**
Creative labs	**http://www.ctlsg.creaf.com**
Cyrix	**http://www.cyrix.com**
Epson	**http://www.epson.fr**
Hewlett Packard	**http://www.hp.com**
IBM	**http://www.ibm.fr**

Mitsumi	**http://www.mitsumi.com**
Syquest	**http://www.syquest.com**
Sony	**http://www.sony.com**
US Robotics	**http://www.usr.fr** (voir Figure 12.5)

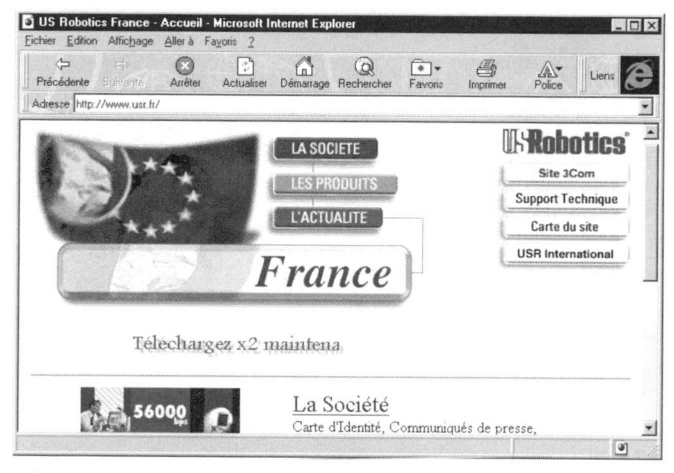

Figure 12.5 : Le site français d'US Robotics.

Informations, météo

Les journaux, les magazines et les chaînes de télévision ont leur site Web. Voici quelques exemples :

Le Monde : **http://www.lemonde.fr**

France Info : **http://www.radio-France.fr/France-info**

Météo France : **http://www.meteo.fr/** (voir Figure 12.6)

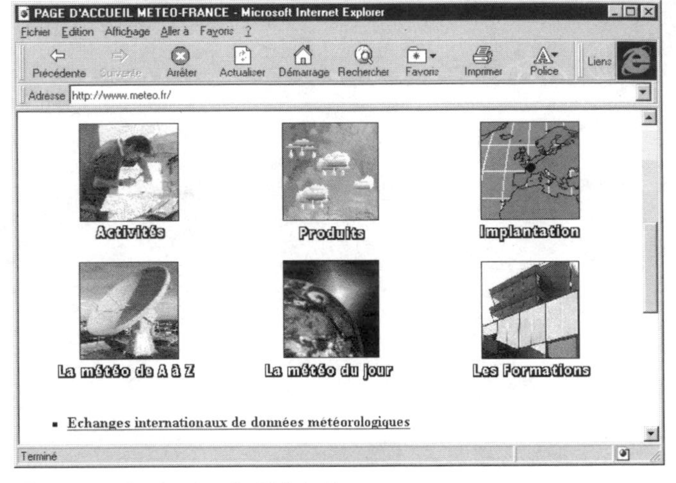

Figure 12.6 : Le site de Météo France.

Index

A

B

C

D

E

F

G

H

I

L

M

N

O

P

R

Achevé d'imprimer le 18 septembre 1997
sur les presses de l'imprimerie «La Source d'Or»
63200 Marsat
Dépôt légal : 3ème trimestre 1997
Imprimeur n° 7013